KB207111

Smart Book

漢文讀解捷徑시리즈 1

'25 개정판

漢文 독해 기본 패턴

이상진 이화춘 이지곤 원주용 공저

전통문화연구회

≪漢文독해기본패턴≫을 개정하며

2019년 국내 최초로 한문 독해를 위한 패턴을 정리하고 초판을 발행한 지 벌써 5년여 시간이 지났다. 그동안 본회 부설의 고전연수원이나, 본회 사이버서당/서원은 물론 유수 대학의 정규 교과, 각종 평생교육기관의 강좌, 개인 한문/서예학원 등 많은 교육 현장에서 본서를 교재로 채택하여 사용하였는데, 그 보급량이 1만 부가 넘었다. 한문 전문 서적으로는 경이적인 숫자가 아닐 수 없다.

집필진은 ≪한문독해기본패턴≫(이하 "기본패턴")을 간행한 이후, ≪사서독해첩경≫, ≪한문독해첩경 문학편≫, ≪한문독해첩경 사학편≫, ≪한문독해첩경 철학편≫의 5책과 ≪신편 기초한문교재≫ 6책을 후속 작업으로 계속 진행해왔다.

이를 바탕으로 새로운 독해 패턴의 정리와 연구를 계속 진행할 수 있었고, 한편으로는 본회를 비롯한 다양한 교육 현장에서 강의를 진행하고 있는 교강사들의 주옥같은 조언과 의견을 받을 수 있었다. 이에 새로 정리된 패턴과 교강사의 의견을 종합하여, 그 가운데 기초적인 부분을 간추려서 본 ≪기본패턴≫을 보완하였다.

집필진은 초판 서문에 이 책의 가시적 목표를 '번역서를 보면서 어떤 구절을 어떻게 해석하였는지에 대해 이해할 수 있는 수준으로 한다.'고 제시하였다. 초판은 나름 충분한 성과를 이루었다고 볼 수 있으나 개정증보판을 통하여 미비했던 부분을 보완하면 이 목표를 이루는 데 더욱 도움이 될 것으로 기대한다.

아무쪼록 독자 제현들이 본서를 비롯한 첩경 시리즈 책들을 통해 한문의 구조를 이해하고 한문 문장을 독해할 수 있는 기초를 얻길 기대한다.

* 본 증보에서 제외된 패턴은 별책으로 간행할 계획이다.

2024년 가을, 서울 삼봉로 연구실에서 저자 쓰다.

≪漢文독해기본패턴≫을 집필하며

주지하듯, 한문독해漢文讀解는 동서東西와 고금古今을 막론한 난제難題이다. 동서양의 주요 한문 교육 관련 저술에도 모두 한문독해의 어려움을 기술하고 있다. 전문가들은 한문독해력의 신장을 위해서는 다양한 한문 문장을 독해하고 반복적으로 익혀, 그 속에서 한문의 특성을 체득體得하는 길 이외의 왕도王道는 없다고 말한다.

그러나 이 말을 뒤집어 곱씹어보면, 다양한 한문 문장의 패턴pattern을 정리하여 한문 입문자들에게 제공한다면 그들의 한문독해력 신장에 도움을 줄 수 있다는 것도 잘못된 생각은 아닐 것이다. 게다가 최근 학교나 사회에 서구적西歐的 학습과정을 거친 이들이 대부분이라는 점을 고려해본다면, 이러한 방법은 그들의 한문독해력 신장에 분명 도움을 주고 한편으로는 그들의 요구에 부응할 수 있을 것이다.

한문독해력을 끌어 올리고픈 이들은 '한자만 알고 한문은 전혀 이해를 못하는 초보자'부터 '텍스트의 오류를 찾아가며 텍스트의 잘잘못을 가리는 전문가'까지 그 수준이 다양하다. 이런 다양한 수준에 통용되는 결과물을 얻기는 쉬운 일이 아니다. 연구팀은 연구에서 교육 수준과 방향을 특정해야 하는 현실적인 문제에 직면했다. 초중등初中等 교육 또는 대학 및 사회교육社會教育으로 한자는 꽤 아는데 한문을 모르는 한문 입문자들이 가장 어려워하는 것은 무엇일까?

사서四書처럼 대중에게 널리 알려진 고전古典은 다종의 번역서가 시중에 존재한다. 그러나 한문독해 초입자初入者의 입장에서 보면, 이들의 상이相異한 번역 또는 의역意譯은 오히려 한문의 이해에 방해가 될 수 있다. 따라서 교육의 1차적 목표를 번역서를 보면서 어떤 구절을 어떻게 해석하였는지에 대해 이해할 수 있는 수준으로 해야 한다는 데에 의견을 모았다.

그런데 한문은 운문韻文과 산문散文, 경사자집經史子集의 차이가 확연하고, 산문에도 사서오경四書五經, 당송고문唐宋古文, 사서史書, 실용문서 등 문체와 난이도 등이 다양하다는 문제가 발생한다. 이 때문에 연구진에서는 한국의 연구서나 참고서는 물론이거니와, 가깝게는 중국과 일본 등 한문문화권의 연구서, 멀리는 영어권의 한문 연구서와 교재를 참고하여 내용을 검토·분석하였다. 국가마다 한문고전에 대한 중요도는 각각 달랐지만 대체로 가장 중요시하는 텍스트가 바로 '사서四書'였다.

연구진은 다양한 정보화 기술을 활용하여 우선 사서四書·몽학서蒙學書 등 한문漢文 기본서基本書의 약 11만 자字의 원문과 그 해석을 데이터베이스Database로 구축하여 사서를 중심으로 패턴을 추출하였다. 이를 토대로, 다양한 패턴으로 전체 연수 순서를 구성하고, 단위 문장에서는 축자역逐字譯으로 해석방법을 익힌 후 반복적反復的인 읽기와 쓰기를 하는 방식으로 구성하여, 결국 각 단계를 마칠 때마다 문장 구조의 분석력分析力을 점차 키워나갈 수 있도록 고려하였다.

본서를 집필하기 위해 여러 한문 연구서와 근대 이후로 최근까지의 교재를 참조하였는데 그 가운데 몇몇 교재에서 많은 도움을 받았다. 3~8자 학습은 국내 자료인 ≪한문교수첩경漢文敎授捷徑≫(정익鄭翼 저, 1929)에서 한 글자씩 늘려가면서 한문독해력을 익히는 것에서 착안하여, 이를 토대로 우선 철저하게 전거를 살피고 패턴을 익히는 방법으로 한문독해에 유용한 문장을 새롭게 선정하였다.

패턴의 선정시에는 우선 영미권의 대표적 서적인 ≪Outline of Classical Chinese Grammar≫(Edwin G. Pulleyblank, University of British Columbia)와 ≪A New Pratical Primer of Literary Chinese≫(Paul Rouzer, Harvard East Asian MonoGraphy)를 참고하고, 중국과 일본의 ≪古代漢語≫(王力, 中華書局), ≪漢文入門≫(小川環樹·西田太一郎, 岩波全書) 등 다종의 서적을 참조하여, 먼저 구축한 DB와 비교 분석 과정의 실증적 과정을 거쳤으며, 각각의 예문例文 선정시에는 상기 서적들과 최근 중고교 한문교과서에 수록된 예문, 다수 대학의 교양한문 등을 참조하여 적절한 문장을 채택하였다.

서구의 한문학습 방법을 구문이나 패턴에 의한 이성적理性的이며 분석적 방법으로 본다면, 우리는 현토懸吐와 송독誦讀이라는 특수한 형태인 감성적感性的 방법으로 한문을 익혀왔다고 할 수 있을 것이다. 그 방법의 효과에 대한 평을 차치하고, 분명한 것은 한국의 한문학습 방법은 중中·일日이나 서구西歐의 그것과 달랐다는 것이다.

연구팀에서는 이 둘의 장단長點을 취합하여 하나의 교육용 콘텐츠(소프트웨어)에 담아내고, 이를 각 소단원별로 QR코드로 연결하여 연수의 편의를 돕고자 하였다. 이 소프트웨어에서는 독음讀音 익히기, 따라읽기, 듣기, 구두句讀 끊기, 패턴 찾기, 축자逐字 익히기 등등 다양한 연수 기능을 제공하며 점차 강의 등 자료를 확대할 계획이다.

본회는 아직 '한문독해첩경시리즈'의 연구개발에 '첫 단추'를 꿰고 있다. 따라서 뒤따르게 될 교재나 콘텐츠 구성에서는 더 심사숙고하고 치밀하게 하는 계획이 필요할 것이다. 또한 별도로 준비하고 있는 중국어, 일어, 영어권 학습자들을 위한 한문독해 콘텐츠도 그 준비에 만전을 기할 것이다.

끝으로 바쁜 시간 쪼개어 자문해주신 원로 선생님들, 초고를 일독해주신 검토위원진, 시강試講을 수차례 반복해오신 교육연구진, 축자逐字DB 구축에 참여한 연구보조원들과 검토해주신 선생님들께 감사의 마음을 전하며, 앞으로 계속 한문교육 전문가 여러분의 조언助言을 바란다.

2018년 만추晩秋에 낙원동에서

대표 연구집필위원 이상진李相鎭

2,000년 한문 장벽의 도전

광복光復 이후 줄곧 문제가 제기된 한자漢字와 한글의 어문정책語文政策에 관하여 2005년 정부가 한글전용을 지향하는 '국어기본법國語基本法'을 입법하자, 주요 어문단체語文團體와 관계 인사들이 격분하여 정부에 '국어기본법' 반대 의견서를 제출하였다. 이 어문정책은 각종 도서나 문서 등에 대한 대중의 독해력讀解力을 저하시킬 뿐만 아니라, 한문고전을 독해해야 하는 한국학韓國學 또는 동양학東洋學 전공자에게는 '불통不通'을 초래할 수도 있다는 더 큰 문제가 있었다.

우리는 한자문화권漢字文化圈에서 공용문자共用文字인 한자를 2,000년 이상 써오면서 동아시아 문화권을 형성해오다가, 서세동점西勢東漸으로 불과 100여 년이 못 되어 역사와 문화의 단절斷切을 겪고 있다. 이에 본회는 세계를 주도하는 선진문화한국을 만들기 위하여 '선진문화한국 VISION'을 추진하고 있다.

사실 한자 문제는 개화기 이후 서양西洋의 신교육新敎育이 범람하여 한문독해의 필요성이 적어지자, 전통적 한학수학漢學修學이 거의 사라지면서 시작된 것이다. 우리의 현실을 돌아보면, 오늘날 유치원부터 박사학위 과정까지 적어도 20년 이상 영어英語의 교육과 시험을 치르는 현상이 마치 조선시대 과거科擧를 준비하던 한학수학漢學修學의 풍경과 비슷하다고 하겠다.

한문이든 영어든 모두 문리터득文理攄得과 독해에 능통能通하려면 상당한 기간과 막대한 경비를 요要하기에, 우리 청춘靑春을 거의 바쳐야 하니 참담한 일이 아닐 수 없다. 그러나 우리글과 사회에서는 영어보다 한자어를 주로 사용하고, 또 우리 일상이 한자문화로 둘러쌓여 있어 한문을 본격적으로 연수하려고 한다면 그렇게 어려운 글은 결코 아니다.

한문독해력은 21세기 동북아東北亞 시대에, 특히 동양학이나 한국학 전공자나 지식인知識人에게 절대로 필요한 것이며, 한자는 동북아문화권東北亞文化圈의 공용共用문자로서 800자를 선정하여 상식과 교양으로 제정한 바도 있다.

돌아보면 1974년 한문고전 번역 후계자 양성을 위하여 민족문화추진회에 국역연수원國譯研修院을 만들었을 때, 한문 문리터득을 위한 교육을 위해 여러 한학자와 동양학東洋學 교수 등이 모여서 토의한 바 있다. 이때 몇몇 분이 전통적인 한문학습에 서양 이론을 융합하자는 의견을 주셨다. 즉, 우리의 한학漢學 독해법讀解法은 정서적情緖的이고, 서양의 언어言語 독해법은 분석적分析的이라는 것이다.

이를 토대로 한국의 전통적 성독법聲讀法을 반복 연수하면서 교재를 암기暗記하여 자연히 한문

문리漢文文理를 터득하는 방법과, 하버드를 비롯한 서양西洋 대학의 문장분석文章分析과 구문론構文論(pattern) 등의 방법을 조합해보니, 감성感性과 이성理性의 융합이 곧 한문독해첩경漢文讀解捷徑이었다. 일반적으로 한문에 문리文理가 나자면 적어도 10여 년 이상 무던히 연마練磨해야 하는 기간을 이 첩경시리즈를 통해 5년 정도로 단축할 수 있을 것이며, 이로써 난해難解하다고 인식되고 있는 한문고전의 장벽을 동양에서 중일中日보다 우리가 먼저 쉽게 넘어서게 될 것이다.

그간 각국의 참고자료를 수집하고, 국내 전공자 또는 실무 전문가들과 협의協議하면서 토의討議하여 기초부터 책별·분야별·단계별로 교재와 강의를 시험해왔으나 조금 더 연구가 필요한 부분도 여전히 남아 있다.

또 '한문독해첩경 시리즈'라고 하나 사실 끈기의 문제이므로, 실제 학습성과學習成果는 연수자 각자의 의욕과 노력에 달려 있다. 따라서 개인의 특성과 장점을 살려 자기 방법을 설정하여 필사必死의 노력을 쏟으면서, 동시에 최근 모바일 기기機器 등 정보처리 기술을 연수에 활용하여 자기自己 시스템화한다면 단기간에 많은 효과를 얻을 것이다.

동지 여러분들이 이 첩경捷徑을 연수함으로써, 2000여 년의 역경을 극복하여 단기간에 한문독해 장벽障壁을 넘어서려는 확고한 도전정신만 있다면 우리 한국이 동양학을 선도先導하여 동방東方의 빛이 되리라 확신한다. 그간 이 첩경의 연구개발에 참여하신 여러 선생님들께 감사의 말씀을 드리고, 앞으로도 계속 지도·연구하여 주시기를 기원한다.

사단법인 전통문화연구회 회장 이계황

일러두기 및 연수방법

1. 이 책에 대하여

1) 이 책은 "한문독해첩경 시리즈"의 첫 책이다.

이 책은 한문독해력漢文讀解力을 익히기 위한 기초적인 연구서로 《사자소학四字小學》, 《추구推句》 등 전통교재인 몽학서蒙學書를 현대화하여 한문의 기초와 다양한 분위기를 익힐 수 있도록 함.

2) '한문독해 입문자入門者'를 위한 교재이다.

전공이나 관심분야에서 한문독해가 필요하여 본격적으로 한문문장을 배우기 시작하는 이들을 대상으로 함.

3) 정보화 기술을 활용한 '스마트북SmartBook'이다.

교수-학습의 효율성을 제고하기 위하여 '정보화 기술을 활용한 스마트북'임.

2. 구성 특징

1) 기초부터 학습 순서를 고려하였다.

(1) 기초 개념 학습 : 한자의 결합結合 관계 및 문장의 성분에 대한 이해.

(2) 3~8자의 패턴 학습 : 한문의 어순語順에 대한 이해.

(3) 기본 패턴 학습 : 주요 허사虛辭 및 숙어熟語에 대한 이해.

(4) 유형별 패턴 학습 1~2 : 어기語氣에 따른 주요 허사 및 숙어에 대한 이해.

2) 엄선된 예문例文을 제시하고, 책의 내용을 유기적으로 구성하였다.

(1) 전체 3,069자, 신출한자 698자로 구성함. - 연습문제 포함 : 전체 4,978자 신출한자 892자

(2) 패턴을 77개로 분류하여, 각각의 패턴에 2~3개 내외의 예문을 제시함.

(3) 교수-학습의 편의를 위해 패턴과 문장에 각각의 고유번호를 닮.

(4) 단순한 나열이 아닌, 배운 내용을 지속적으로 복습復習할 수 있도록 구성함.

(5) 패턴의 복습과 암기에 도움이 되도록 단원별로 엄선된 연습문제를 제시함.

3) 고등학교 졸업 이상의 학력 수준으로 난이도를 고려하였다.

3. 구성 기준

1) 패턴의 선정選定 기준은 다음과 같다.

(1) 주요 '허사虛辭' 중심의 '구句' 또는 '절節'의 '문형文型'인 것.

(2) '운문韻文'이나 '산문散文'의 차이나 시대에 무관하게 일관된 형태인 것.

2) 원문 발췌拔萃의 기준은 다음과 같다.

(1) 전거典據가 분명한 것.

(2) 가급적 춘추春秋·전국戰國 시대의 문장인 것.

(3) 동일 패턴의 경우 사서四書의 문장인 것.

(4) 한국 고전의 경우 널리 알려진 통행본通行本의 문장인 것.

(5) 위 기준을 벗어나도 전거가 분명하고, 패턴의 선정 원칙에서 벗어나지 않는 것.

3) 원문의 현토懸吐 원칙은 다음과 같다.

(1) 3자~8자 단구를 제외한 문장은 원문에 현토함.

(2) 언해諺解가 있는 고전은 언해의 토吐를 기준으로 하되, 고어투套의 현토는 현대어로 수정함.

4. 해설 기준

1) 직역直譯 중심의 번역, 풀이 순서를 제시하였다.

(1) 문장 구조의 이해를 돕기 위하여 가급적 직역으로 풀이함.

(2) 직역은 언해諺解를 따르되, 현대어와 맞지 않는 경우 현대어로 제시함.

(3) 직역만으로 풀이 순서의 이해가 어려운 구절은 풀이 순서를 숫자로 제시함.

(4) 의역意譯이 필요한 문장은 직역과 함께 의역을 별도로 제시함.

2) 문법文法 용어의 사용을 지양止揚하였다.

(1) 문장의 설명에 필요한 주어, 서술어, 목적어, 보어 등 최소한의 용어만을 사용함. 그 경우에도 해설을 제시함.

(2) 단, 목적어目的語와 보어補語는 현행 교육과정(2015 개정)을 기준으로 분류할 경우 개념을 혼동할 여지가 많아, 기존의 교육과정을 따름.

3) 고유명사나 개념어 등을 주석注釋하였다.

(1) 주요 고유명사나 개념어 등은 주석하되, 인명은 부록에 '주요 인물'로 별도로 제시함.

4) 한자의 훈음訓音을 제시하였다.

⑴ 본문의 하단에는 중학교용 한자(900자)의 초과 한자에 훈음 제시함.

예 : 爾 너 이; ~뿐

⑵ '해당 의미를 밝힐 필요가 있는 경우' 한자의 '훈음'을 쓰고, 뒤에 '문장 속 의미'를 제시함.

⑶ 부록에 수록된 내용의 한자훈음을 제시하되, 사서四書 정도의 수준에서 쓰이는 다양한 훈음을 모두 제시하여 한문독해시 참조하도록 함.

5. 문장 및 조판 부호

1) 본서에 사용된 주요 부호符號는 다음과 같다.

별점	패턴의 주제가 되는 한자	위아래점	주석이나 풀이가 있는 한자/한자어, 강조
" "	대화, 각종 인용	' '	" " 안에서 재인용, 강조
《 》	서명書名, 출전出典	〈 〉	편장명篇章名, 작품명作品名, 보충역補充譯
#	패턴의 일련번호		
/	문장 주요 성분에 따른 원문 구분(주어·서술어·목적어·보어 등).		
〔 〕	주어[주] 및 서술어[술], 목적어[목], 보어[보] 등 문장성분 표기. 번역문과 뜻은 같으나 음音이 다른 한자 및 자구字句, 번역 뒤에 인용한 원문原文.		

6. 연수 방법

연수의 방법은 '전체를 일독한 후 여러 번 반복해서 보는 경우', '처음부터 찬찬히 살펴보는 경우', '관심 있는 부분을 중심으로 먼저 살펴보는 경우' 등 각자의 습관에 따라 다양하다. 각자 편리한 방법으로 공부하더라도 아래의 몇 가지는 반드시 지켜야 독해력讀解力이 신장된다.

1) 번역을 보기 전에 원문을 여러 번 읽고 스스로 풀이한다.

⑴ 여러 번 읽는 과정은 문장을 익숙하게 만들고 풀이 방법을 생각하는 과정임.

2) 교재에 풀이된 설명을 읽어서 완전히 자기 것으로 만든다.

⑴ 문장에 대한 설명은 하나도 그냥 제시된 것이 없으므로, 왜 이런 설명을 넣었는지 생각함.

3) 소리 내어서 여러 차례 읽기와 쓰기를 반복한다.

⑴ 최소한 10번 이상 소리 내어 읽고, 3회 이상 정성들여 씀.

⑵ 소리 내어 원문과 번역을 읽고 쓰는 과정은 머리에 각인되는 효과가 있음.

4) 스마트북 기능을 이용해서 반복 학습한다.

(1) 본 책은 QR코드를 통해 문장의 다양한 정보와 학습도구를 제시함.

(2) 이를 활용하면 연관되는 많은 내용을 알 수 있고, 다양하게 반복하여 학습할 수 있음.

(3) 읽어주는 원문과 뜻풀이도 반복해서 듣고, 따라 읽으면 많은 효과가 있음.

7. '스마트북'이란?

1) PC 및 Mobile 기기 등 정보화 기기를 이용한 교재의 다양한 학습 보완기능을 'Smart Book(스마트북)'이라 하였다. 이를 통하여 한문 연수·학습 교재의 새로운 지평을 제공하고자 한다.

2) 본 스마트북으로 도서의 모든 요소를 정보화하여 제공함은 물론, 그 밖의 학습요소를 추가 제공하여 학습에 도움을 주고자 한다.

3) 본서 스마트북의 정보제공 범위는 다음과 같다. ○ : 동일제공, ◎ : 확대제공

구분	내용	도서	스마트북	
			PC	Mobile
원문/현토	대상 원문과 현토	○	○	○
번역	번역문	○	○	○
직해 및 직해순	직해 및 번역하는 순서	○	◎	○
주석	주요 학습 어휘	○	◎	○
도판	삽화, 지도, 연표, 사적, 문물 등	○	◎	◎
음원音源	원문 및 번역문의 읽기, 듣기, 따라읽기 등		○	○
노트	프린터용 쓰기노트		○	
패턴	원문에 사용된 주요 구문構文 패턴 정보	○	◎	○
강좌	도서의 온라인 동영상 강의		○	○
책갈피	온라인 책갈피 기능		○	○
토론실	이용자의 토론공간		○	○

※ 일부 기능은 제작중이거나, 온라인 회원에 한하여 제공될 수 있음.

8. 스마트북 이용 방법

1) 본서는 각 단원별로 좌우측의 하단에 'QR코드'와 '단축기호'를 제공하고 있다.

2) 스마트북의 사용법은 다음과 같다.

(1) '스마트폰'을 사용할 경우 'QR코드'나 '단축주소'를 활용하여 접근한다.

※ QR코드를 이용할 때는 주요 포털 사이트의 App에서 제공되는 기능을 활용한다.

(2) PC를 사용할 경우 단원별로 제공된 '단축기호'를 활용하여 접근한다.

※ 단축주소 : "http://JTLink.kr/단축기호" (대소문자 무관)

목　차

Ⅰ. 한문 패턴의 기초

Ⅱ. 三字~八字 풀이 패턴

Ⅲ. 공통 기본 패턴

Ⅳ. 문장 유형별 패턴 1

V. 문장 유형별 패턴 2

부 록

I. 한문 패턴의 기초

한자의 결합 관계, 문장의 구조

한문漢文 문장文章을 이루는 한자漢字 배열을 이해하기 위해서는 글자의 결합관계에 대한 이해가 선행되어야 한다.

'글자 결합 패턴'에서는 가장 기본적인 한자 사이의 결합 패턴을 설명하였다. 다소多少 문법적인 내용이기는 하나 이러한 설명은 우리가 배울 한문의 패턴을 이해하는 데 기본이 된다.

이어서 배우는 '한문문장漢文文章의 구조構造'에서는 한자가 배열되어 만들어진 가장 기본적인 '문장 구조'를 제시하였다. 앞서 배운 글자 결합 패턴을 확장하여 익히면 문장을 풀이하는 핵심에 대해 이해할 수 있을 것이다.

1. 글자 결합 패턴

'글자 결합 패턴'은 2자로 이루어진 의미 요소들 사이의 결합 패턴을 말한다. 차례대로 풀이하는 경우와 거꾸로 풀이하는 경우로 분류할 수 있다.

차례대로 풀이하는 경우

주술관계主述關係, 수식관계修飾關係, 병렬관계竝列關係가 있다.

1) 주술 관계

주술 관계는 주어主語와 서술어敍述語의 관계로 이루어진 경우이다. '~이/가/은/는 ~이다'의 형식으로 풀이된다.

○ 天高 : 하늘이 높다. ≪推句≫

○ 春來 : 봄이 오다. ≪推句≫

2) 수식 관계

• 수식修飾 : 꾸밈말.

수식修飾 관계는 수식어修飾語와 피수식어被修飾語의 관계로 이루어진 경우이다. 수식어는 명사, 대명사와 동사, 형용사를 꾸미는 역할을 한다.

(1) 명사, 대명사 등을 꾸미는 경우

○ 黃菊 : 노란 국화 ≪推句≫

○ 白雲 : 하얀 구름 ≪推句≫

CV175228

菊 국화 국　徐 천천히 갈 서

(2) 동사, 형용사를 꾸미는 경우

○ 徐行 : 천천히 가다. ≪童蒙先習≫

○ 必去 : 반드시 가다. ≪論語≫

3) 병렬 관계

병렬竝列 관계는 성분이 같은 말들이 나란히 놓여 이루어진 경우이다. 서로 대등하거나 상대되는 한자가 나란히 놓인 경우는 '~와/과 ~'로 풀이하고 서로 비슷한 한자가 나란히 놓인 경우는 대표적인 의미로 한 번만 풀이한다.

(1) 대등 관계

○ 牛馬 : 소와 말 ≪啓蒙篇≫

○ 蟲魚 : 벌레와 물고기 ≪啓蒙篇≫

(2) 상대 관계

○ 古今 : 옛날과 지금 ≪擊蒙要訣≫

○ 貴賤 : 귀함과 천함 ≪孟子≫

- 장단長短 : 긴 것과 짧은 것 → 길이
- 대소大小 : 큰 것과 작은 것 → 크기
- 고저高低 : 높은 것과 낮은 것 → 높이/높낮이

(3) 유사 관계

○ 衣服 : 옷 ≪擊蒙要訣≫

○ 朋友 : 벗 ≪擊蒙要訣≫

거꾸로 풀이하는 경우

술목 관계述目關係와 술보관계述補關係가 있다.

1) 술목 관계

술목 관계는 서술어敍述語와 목적어目的語의 관계로 거꾸로 풀이되는 경우이다. '~을/를 ~하다'의 형식으로 풀이된다.

○ 好學 : 배움을 좋아하다. ≪論語≫

○ 飽我 : 나를 배부르게 하다. ≪四字小學≫

2) 술보 관계

술보述補 관계는 서술어와 보어補語의 관계로 거꾸로 풀이되는 경우이다. '~에/에서/와 ~이다/하다', '~이/가/은/는 있다/없다' 등의 형식으로 풀이된다.

○ 在位 : 자리에 있다. ≪孟子≫

○ 如矢 : 화살과 같다. ≪論語≫

○ 有信 : 믿음이 있다. ≪孟子≫

○ 無恥 : 부끄러움이 없다. ≪論語≫

참조 : 상대·대립 되는 한자

東西 南北 左右 前後 內外 上下 表裏 向背 源流 本末
首尾 始終 加減 乘除 損益 贏縮 奇耦 單複 多少 繁省
甘苦 生熟 軟硬 明暗 黑白 淸濁 燥濕 寒熱 凝釋 高低
廣狹 銳鈍 平仄 夷險 淺深 遠近 大小 長短 方圓 曲直
精麤 輕重 厚薄 詳略 贍乏 有無 文質 雅俗 同異 純雜
盈虛 消息 微著 隱見 古今 彼此 新舊 早晩 公私 邪正
親疎 尊卑 聖凡 善惡 智愚 勇怯 肥瘠 剛柔 强弱 謙驕

飽 배부를 포; 배부르게 하다　恥 부끄러울 치

2. 한문 문장의 구조

문장의 구조는 문장을 구성하는 성분 사이의 결합 방식을 말한다.

문장의 구조는 주성분 사이의 관계에 따라 '주술 구조', '주술목 구조', '주술보 구조', '주술목보 구조'로 분류한다.

문장 성분 중 주성분은 '주어, 서술어, 목적어, 보어'이고 부속성분은 수식어로 쓰이는 '관형어, 부사어'이다. 독립성분은 따로 독립적으로 쓰이는 '독립어'가 있다.

주술 구조

주술主述 구조는 주어와 서술어로 이루어진 구조로서 '주어가 서술어의 앞'에 놓인다.

- ○ 花/落 : 꽃이 지다. ≪推句≫
- ○ 山/高 : 산이 높다. ≪推句≫
- ○ 惻隱之心/仁之端也 : 측은하게 여기는 마음은 인의 단서다. ≪孟子≫

주술보 구조

주술보主述補 구조는 주어, 서술어, 보어로 이루어진 구조로 '서술어가 보어의 앞'에 놓인다.

- ○ 千里之行/始/於足下 : 천리 길은 발 아래에서 시작된다. ≪道德經≫
- ○ 良藥/苦/於口 : 좋은 약은 입에 쓰다. ≪說苑≫

CV175233 

주술목 구조

주술목主述目 구조는 주어, 서술어, 목적어로 이루어진 구조로 '서술어가 목적어의 앞'에 놓인다.

- 君子/憂/道 : 군자가 도를 근심하다. ≪論語≫
- 勞心者/治/人 : 마음을 수고롭게 하는 사람은 남을 다스린다. ≪孟子≫

주술목보 구조

주술목보 구조는 주어, 서술어, 목적어, 보어로 이루어진 구조이다.

- 弟/忽投/金/於水 : 아우가 갑자기 금을 물에 던지다. ≪高麗史節要≫
- 葉公/問/孔子/於子路 : 섭공이 자로에게 공자를 물었다. ≪論語≫

- 섭공葉公 : 춘추시대 초楚나라 심제량沈諸梁.
- 자로子路 : 춘추시대 노魯나라 중유仲由의 자.

주요 용어

용어	뜻	해석
주어 主語	서술어가 나타내는 동작이나 상태의 주체主體가 되는 말.	~은(는), ~이(가)
서술어 敍述語	주어의 움직임·상태·성질 따위를 서술하는 말.	~이다, ~하다
목적어 目的語	서술어의 동작이나 행위의 대상이 되는 말.	~을(를)
보어 補語	서술어를 보충하여 부족한 뜻을 완전하게 해주거나 소유를 나타내는 말.	~에, ~에서, ~와, ~로부터, ~이(가)
부사어 副詞語	동사, 형용사를 수식 또는 한정하는 말.	
허사 虛詞	단지 문법적 의미만을 나타내고 단독으로는 어휘적 의미를 가지지 못하는 말. 개사, 접속사, 어조사, 감탄사 등.	

II. 三字~八字 풀이 패턴

3자~8자 주요 풀이 패턴

앞에서 '글자 결합 패턴'과 '한문 문장의 구조'에 대해 배웠다. 이를 바탕으로 한문의 어순語順을 머리에 각인하듯이 익히기 위해 '주어, 서술어, 목적어, 보어, 부사어' 등 문장 성분을 중심으로 3자~8자 단구를 반복적으로 학습하도록 하였다.

3~8자로 이루어진 패턴을 지속적으로 학습하다 보면 한문의 어순과 문장 구조를 자연스럽게 익힐 수 있을 것이다.

1. 三字 풀이 패턴

3자는 '1자+1자+1자', '1자+2자', '2자+1자'로 풀이되는 세 가지 방법이 있다. 문장 성분을 기준으로 분류할 수 있다.

직역순 및 문장 성분의 표기

'3자~8자 풀이 패턴'에서는 풀이의 순서를 윗 첨자로 모두 표시하되, 직전 문장과 동일한 경우에는 생략하였다.

'Ⅲ. 공통 기본 패턴' 이후로는 풀이가 난해한 경우에 한하여 선택적으로 풀이의 순서나 문장 성분을 표기하였다.

학습 유의사항

한문 문장의 번역은 다양한 경우의 수가 존재할 수 있다. 따라서 본서에서는 이를 모두 표기하지 않고, 인용한 원문에 충실한 번역을 제시하였다.

그러나 제시된 번역만 반드시 정확한 번역이라고 생각하지 말고 여러 경우의 수를 함께 고민하고, 그 가운데에 가장 적절한 뜻을 스스로 찾아가는 과정을 거쳐야 한문 독해력을 키울 수 있다.

CV15423

3자 주술 구조

~이/가 ~이다/하다

001 民弗從 ≪中庸≫

002 道不行 ≪論語≫

003 梅花落 ≪推句≫

004 樹葉青 ≪推句≫

005 父心寬 ≪推句≫

006 遠者來 ≪論語≫

- 民[1]/弗[3]從[2] : 백성들이 따르지 않다.
- 道/不行 : 도가 행해지지 않다.
- 梅[1]花[2]/落[3] : 매화꽃이 떨어지다.
- 樹葉/青 : 나뭇잎이 푸르다.
- 父心/寬 : 부모의 마음이 너그럽다.
- 遠者/來 : 멀리 있는 사람이 오다.

직역 및 해설

- '不, 弗'을 '부'로 읽는 경우: 뒷글자의 자음이 'ㄷ' 또는 'ㅈ'으로 시작되는 경우임. 또는 국어사전 등재된 어휘만 적용하기도 함.

弗 아닐 **불**　梅 매화 **매**　寬 너그러울 **관**

3자 술목 / 주술목 구조

~이/가 ~을/를 ~하다

007 富潤屋 《大學》

008 臣事君 《論語》

009 君賜食 《論語》

010 得民心 《孟子》

011 送香氣 《推句》

能A : A할 수 있다

012 能好人 《論語》

직역 및 해설

○ 富/潤/屋 (1 3 2) : 부유富裕함이 집을 윤택하게 하다.

○ 臣/事/君 : 신하가 임금을 섬기다.

○ 君/賜/食 : 임금이 음식을 주다.

○ 得/民心 (3 1 2) : 백성의 마음을 얻다.

○ 送/香氣 : 향기를 보내오다.

• 可≒能≒得≒足 : ~할 수 있다.(#6)

○ 能好/人 (3 2 1) : 사람을 좋아할 수 있다.

潤 윤택할 윤 賜 줄 사

3자 술보 / 주술보 구조

~이/가 ~에/에게/이 ~하다

013 無恒心 ≪孟子≫

014 滿四澤 ≪推句≫

015 鳴高枝 ≪推句≫

016 如少年 ≪推句≫

017 難更收 ≪推句≫

○ 無[3]/恒[1]心[2] : 항심이 없다.

○ 滿/四澤 : 온 연못에 가득하다.

○ 鳴/高枝 : 높은 가지에서 울다.

○ 如/少年 : 소년과 같다.

○ 難/更收 : 다시 거두기 어렵다.

직역 및 해설

- 항심恒心 : 늘 지니고 있는 떳떳한 마음.
- 鳴 울 명 ≠ 嗚 탄식할 오

澤 못 택　更 다시 갱

알아두기

자명종自鳴鐘

1631년(인조仁祖 9년) 명明나라에 사신으로 갔던 정두원鄭斗源이 처음 들여온 자명종은 정해진 시각에 종이 울리는 장치였다. 지금과 같이 시침時針을 가진 자명종은 1723년(경종景宗 3년) 중국에서 들여온 것을 모방하여 만든 것이 처음이라고 한다.

한자 넌센스

다음이 뜻하는 한자는? (정답은 53페이지)

1) 주먹 모양을 가진 한자?

2) 밭의 둑이 무너진 한자?

3) 양이 뿔 빠지고 꽁지 빠진 한자?

4) 노인이 지팡이를 짚은 한자?

5) 소 한 마리에 꼬리가 둘인 한자?

연습문제

패턴 및 한자에 유의하면서 다음 문장을 풀이하시오. (정답은 부록 참조)

1. 德潤身 ≪大學≫

2. 上有天 ≪啓蒙篇≫

3. 留人情 ≪明心寶鑑≫

4. 如探湯 ≪論語≫

2. 四字 풀이 패턴

4자는 '2자 + 2자'로 풀이되는 것이 가장 일반적이다.

4자 주술 구조

~이/가 ~이다/하다

018 顔色美麗 ≪明心寶鑑≫

019 人性本善 ≪擊蒙要訣≫

020 近墨者黑 ≪四字小學≫

021 逆天者亡 ≪孟子≫

직역 및 해설

1 2 3 4
○ 顔色/美麗 : 얼굴이 아름답고 곱다.

1 2 3 4
○ 人性/本善 : 사람의 본성은 본래 선하다.

2 1 3 4
○ 近墨者/黑 : 먹을 가까이하는 사람은 검어진다.

○ 逆天者/亡 : 하늘을 거스르는 사람은 죽는다.

麗 고울 려

CV15440

4자 술목 / 주술목 구조

~이/가 ~을/를 ~하다

022 父生我身 ≪四字小學≫

023 君子憂道 ≪擊蒙要訣≫

024 患不知人 ≪論語≫

025 從心所欲 ≪論語≫

與AB : A와 B하다

026 善與人交 ≪論語≫

A以B : B를 A하다

027 教以禮樂 ≪小學≫

직역 및 해설

○ 父/生/我身 (1 4 2 3) : 아버지께서 내 몸을 낳으시다.

○ 君子/憂/道 (1 2 4 3) : 군자君子가 도를 근심하다.

○ 患/不知人 (4 3 2 1) : 남을 알아주지 못함을 걱정하다.

○ 從/心/所欲 (4 1 3 2) : 마음이 하고자 하는 것을 따르다.

○ 善/與人交 (4 2 1 3) : 남과 사귀기를 잘하다.

○ 教/以禮樂 (4 3 1 2) : 예禮와 악樂을 가르치다. / 예와 악으로써 가르치다.

4자 술보 / 주술보 구조

~이/가 ~에게/에서 ~하다

028 兄無衣服 ≪四字小學≫

029 物有本末 ≪大學≫

030 民德歸厚 ≪論語≫

031 吾子有疾 ≪小學≫

032 至其子孫 ≪小學≫

033 不絶於口 ≪擊蒙要訣≫

직역 및 해설

- 兄[1]/無[4]/衣[2]服[3] : 형이 의복이 없다.
- 物/有/本末 : 물건은 본本과 말末이 있다.
- 民[1]德[2]/歸[4]/厚[3] : 백성의 덕이 후한 곳으로 돌아가다.
- 吾子/有/疾 : 내 아들이 병이 있다.
- 至[4]/其[1]子[2]孫[3] : 그 자손에게 이르다.
- 不[4]絶[3]/於[2]口[1] : 입에서 끊이지 않다.

4자 술목보 / 주술목보 구조

~이/가 ~에게/에서 ~을/를 ~하다

034 受之父母 《小學》

035 博我以文 《論語》

직역 및 해설

○ 受/之/父母 (4 1 2 3) : 그것을 아버지와 어머니께 받다.

○ 博/我/以文 (4 1 3 2) : 나를 학문學文으로 넓히다.

4자 기타 구조

036 教學相長 《禮記》

037 兄愛弟敬 《小學》

직역 및 해설

○ 教學/相長

- 教學[부] 相長[술] : 가르치고 배우면서 서로 성장成長하다.
- 教學[주] 相長[술] : 가르치는 이와 배우는 이가 서로 성장하다.

○ 兄/愛//弟/敬 (1 2 1 2) : 형이 사랑하고 아우가 공경恭敬하다.

복합문

두 개 이상의 절節로 된 문장. 서술어가 두 개 이상 제시된 문장을 뜻한다.

博 넓을 박 ; 넓히다

성선설性善說

알아두기

맹자孟子가 주장한 학설. 인간의 본성은 태어날 때부터 본래 선善하다는 주장.

맹자孟子

적자赤字와 흑자黑字

수입과 지출을 장부에 정리할 때, 지출이 수입보다 많아서 생기는 손실 금액은 '붉은색 숫자〔赤字〕'로 표기하고, 그 반대일 때에는 '검은색 숫자〔黑字〕'로 표기한 것에서 유래한 용어다.

삼척三尺은 얼마?

'척尺'은 '자'를 말한다. 한 자(일척一尺)는 대략 30센티미터 정도이므로, '삼척三尺'은 약 90센티미터이다. '삼척동자三尺童子'는 '키가 1미터도 안 되는 어린아이', 또는 '철없는 어린아이'를 말한다.

월월月月이 산산山山커든

한자 넌센스

구두쇠 영감 집에 친구가 찾아왔다. 마침 식사 때가 되어 며느리가 "인량복일人良卜一할까요?"라고 묻자 "월월月月이 산산山山커든 하라."라고 대답했다. 이 말은 "식사〔食〕를 올릴까요〔上〕?" "벗〔朋〕이 나가〔出〕거든."이라는 뜻이다.

연습문제

▧ **패턴 및 한자에 유의하면서 다음 문장을 풀이하시오.** (정답은 부록 참조)

5. 事有終始 ≪大學≫

6. 約我以禮 ≪論語≫

7. 敎以詩書 ≪小學≫

8. 近朱者赤 ≪四字小學≫

9. 順天者存 ≪孟子≫

10. 父慈子孝 ≪小學≫

직역과 의역

직역直譯은 단어單語, 구절句節, 자구, 어법에 충실한 번역이며, 의역意譯은 여기에 구애拘礙되지 않고, 전체全體의 뜻을 살리는 번역이다.

따라서 직역은 우리말로 옮겼을 때 자연스럽지 못할 수 있다. 그러나 한문을 익히기 위해서는 반드시 직역을 거쳐야 정확하게 의역할 수 있다. 다음 글을 보자.

2 1 4 3 5

今日吾見兩頭蛇한대 去死無日矣리라

앞 절은 '오늘 내가 머리가 둘인 뱀을 보았는데'로 풀이하며, 뒷 절은 원문 그대로 '죽음과 거리 둠이 하루가 없다(안된다).' 정도로 직역할 수 있으나, 우리말로 조금 더 자연스럽게 '죽을 날이 얼마 남지 않았다.' 정도로 의역할 수 있다.

이처럼 둘의 차이가 있는데, 본서는 한문의 의역 능력이 아닌 직역을 통해 독해 능력의 향상을 위해 가급적 직역直譯으로 풀이하였다.

3. 五字 풀이 패턴

5자는 2자+3자로 풀이되는 것이 가장 일반적이다.

5자 주술 구조

~이/가 ~이다/하다

038 人心朝夕變 ≪推句≫

039 子孝雙親樂 ≪推句≫

직역 및 해설

○ **人心**/**朝夕變** : 사람의 마음은 아침저녁으로 변한다.

○ **子**/**孝**//**雙親**/**樂** : 자식이 효도하니 양친兩親이 즐거워한다.

• 쌍친雙親 : 양친兩親과 같음.

축자 학습의 필요성

'축자逐字'는 글자를 하나하나 따라가는 방법으로, 우리 전통 서당書堂 등에서 훈장 선생님 앞에서 한문을 풀이할 때, 손으로 글자를 하나하나 짚어가면서 뜻을 풀이하던 한문 풀이의 방식이다.

축자식 풀이를 하면 한문 문장에서 각 한자의 쓰임과 의미를 정확히 익힐 수 있다. 한문독해력을 향상시키고자 한다면 가급적 축자식으로 풀이할 것을 권한다.

CV175220 

5자 술목 / 주술목 구조

~이가/ ~을/를 ~하다

040 保生者寡慾 ≪明心寶鑑≫

041 馬行千里路 ≪推句≫

042 山吐孤輪月 ≪推句≫

043 彼陷溺其民 ≪孟子≫

044 子路問事君 ≪論語≫

직역 및 해설

- 리里 : 거리단위.
  1리里 = 0.399km
- 자로子路 : 춘추시대 노魯나라 중유仲由의 자.

2 1 3 5 4
○ 保生者/寡/慾 : 삶을 보존하는 사람은 욕심을 적게 한다.

1 5 2 3 4
○ 馬/行/千里路 : 말이 천리의 길을 가다.

1 5 2 3 4
○ 山/吐/孤輪月 : 산이 외로운 달을 토해내다.

1 4 5 2 3
○ 彼/陷溺/其民 : 저들이 제 백성을 함정에 빠트리다.

1 2 5 4 3
○ 子路/問/事君 : 자로가 임금을 섬기는 법을 묻다.

寡 적을 과　慾 욕심 욕　吐 토할 토　孤 외로울 고　輪 바퀴 륜　陷 빠질 함
溺 빠질 닉

5자 술보 / 주술보 구조

~이/가 ~에게/에서 ~하다

A於B : B에 A하다

045 日出於東方 ≪啓蒙篇≫

046 命生於和暢 ≪明心寶鑑≫

047 月爲宇宙燭 ≪推句≫

048 忠可移於君 ≪小學≫

직역 및 해설

○ 日[1]/出[5]/於[4]東[2]方[3] : 해가 동쪽에서 나오다.

○ 命/生/於和暢 : 명命이 화창和暢함에서 생겨나다.

○ 月[1]/爲[5]/宇[2]宙[3]燭[4] : 달이 우주宇宙의 촛불이 되다.

○ 忠[1]/可[5]移[4]/於[3]君[2] : 충성忠誠이 임금에게 옮겨질 수 있다.

暢 화창할 창　燭 촛불 촉

5자 기타 구조

049 天生德於予 ≪論語≫

050 騎馬欲率奴 ≪旬五志≫

非A 不B : A아니면 B않다

051 物非義不取 ≪小學≫

052 春來梨花白 ≪推句≫

053 民無信不立 ≪論語≫

054 入山擒虎易 ≪明心寶鑑≫

직역 및 해설

○ 天/生/德/於予 : 하늘이 나에게 덕을 내다.

○ 騎馬/欲率/奴 : 말을 타면 종을 거느리고자 한다.

○ 物/非義//不取 : 물건物件은 의로운 것이 아니면 취하지 않다.

○ 春/來//梨花/白 : 봄이 오니 배꽃이 희다.

○ 民/無信//不立 : 백성이 믿음이 없으면 〈나라가〉 서지 못하다.

○ 入/山//擒虎/易 : 산에 들어가면 호랑이를 사로잡기가 쉽다.

予 나 여　騎 말탈 기　率 거느릴 솔;비율 률　奴 종〔노예〕 노　雞(=鷄) 닭 계
哺 먹일 포　逐 쫓을 축　梨 배 리　擒 사로잡을 금　易 바꿀 역;쉬울 이

다음이 뜻하는 한자는? (정답은 53페이지)

한자 넌센스

6) 소 한 마리에 꼬리 셋 달린 한자?

7) 소가 외나무 다리에 선 한자?

8) 한 입은 실하고 여덟 입은 허한 한자?

9) 어머니가 갓을 쓰고 조개를 줍는 한자?

10) 스무하룻날이라는 한자?

패턴 및 한자에 유의하면서 다음 문장을 풀이하시오. (정답은 부록 참조)

연습문제

11. 福生於淸儉 ≪明心寶鑑≫

12. 家和萬事成 ≪明心寶鑑≫

13. 惡似而非者 ≪孟子≫

14. 瓜田不納履 ≪明心寶鑑≫

15. 一日不念善 ≪明心寶鑑≫

16. 父在觀其志 ≪論語≫

17. 子孝父心寬 ≪推句≫

4. 六字 풀이 패턴

6자는 '2자+2자+2자', '3자+3자'로 풀이되는 것이 가장 일반적이다.

6자 주술 구조

~이/가 ~이다/하다

055 兄弟同氣之人 ≪童蒙先習≫

056 是人之所欲也 ≪論語≫

057 好犯上者鮮矣 ≪論語≫

직역 및 해설

○ 兄弟/同氣之人 : 형제는 한 기운의 사람이다.

○ 是/人之所欲/也 : 이는 사람이 원하는 것이다.

- 是[주] 人之所欲也[술]

○ 好犯上者/鮮矣 : 윗사람에게 범하기를 좋아하는 자가 드물다.

CV15477

息 쉴/꺼질 식　鮮 드물 선

6자 술목 / 주술목 구조

~이/가 ~을/를 ~하다

058 大丈夫當容人 ≪明心寶鑑≫

059 天下皆知其孝 ≪小學≫

060 弟子孰爲好學 ≪論語≫

孰A : 누가 A하는가?

직역 및 해설

○ 大丈夫/當容/人 (1 2 3 / 4 6 / 5) : 대장부大丈夫가 마땅히 남을 용서容恕하다.

○ 天下/皆知/其孝 (1 2 / 3 6 / 4 5) : 천하 사람들이 모두 그의 효성孝誠을 알다.

○ 弟子/孰/爲/好學 (1 2 / 3 / 6 / 5 4) : 제자 중에 누가 호학好學을 합니까?

- 弟子[부] 孰[주] 爲[술] 好學[목]

"제자 중에 누가 학문을 좋아합니까?"

이 물음에 공자는 다음과 같이 답하였다.

"안회顔回라는 제자가 배우기를 좋아하여, 노여움을 남에게 옮기지 않고 같은 잘못을 되풀이하지 않았는데, 불행히 명命이 짧아 죽었습니다. 지금은 〈그런 사람이〉 없으니, 아직 배우기를 좋아하는 자〈가 있다는 말〉을 듣지 못하였습니다.[有顔回者 好學하여 不遷怒하며 不貳過하더니 不幸短命死矣라 今也則亡하니 未聞好學者也니이다]"

丈 어른 장　孰 누구 숙

6자 술보 / 주술보

~이/가 ~이/에게/에서 ~하다

061 君子教人有序 ≪小學≫

062 夫妻相敬如賓 ≪小學≫

A爲B : A는 B이다

063 生我者爲父母 ≪啓蒙篇≫

직역 및 해설

○ 君子/教人/有/序 : 군자君子가 사람을 가르침에 차례次例가 있다.

- 君子[주] 教人[부] 有[술] 序[보]

○ 夫妻相敬/如/賓

- 夫妻相敬[주] 如[술] 賓[보] : 남편과 아내가 서로 공경恭敬하는 것이 손님과 같다.

- 夫妻[주] 相敬[술] 如賓[보] : 부부夫婦가 손님처럼 서로 공경하다.

○ 生我者/爲/父母 : 나를 낳아준 사람이 부모이다.

'군자君子'의 여러 뜻

①덕망이 높고 인품이 뛰어난 사람, ②벼슬자리에 있는 사람으로 '소인小人'과 '야인野人'의 상대어, ③임금을 이르는 말, ④아내가 남편을 이르는 말 등.

賓 손님 빈

6자 기타 구조

2개 이상의 문장이 결합한 형태이다.

064 去言美來言美 ≪東言解≫

065 狡兎死良狗烹 ≪史記≫

066 看晨月坐自夕 ≪洌上方言≫

067 學者如禾如稻 ≪明心寶鑑≫

직역 및 해설

○ 去言/美//來言/美 : 가는 말이 고와야 오는 말이 곱다.
(어순 번호: 去1 言2 美3 來4 言5 美6)

- 去言[주] 美[술] + 來言[주] 美[술]

○ 狡兎/死//良狗/烹 : 교활狡猾한 토끼가 죽으니 좋은 개가 삶기다.
(어순 번호: 狡1 兎2 死3 良4 狗5 烹6)

- 狡兎[주] 死[술] + 良狗[주] 烹[술]

○ 看/晨月//坐/自夕 : 새벽달을 보려고 저녁부터 앉아 있다.
(어순 번호: 看3 晨1 月2 坐6 自4 夕5)

- 看[술] 晨月[목] + 坐[술] 自夕[보]

○ 學者/如禾//如稻 : 배운 사람은 모와 같고 벼와 같다.
(어순 번호: 學1 者2 如4 禾3 如6 稻5)

- 學者[주] 如[술] 禾[보] + 如[술] 稻[보]

狡 교활할 교　兎 토끼 토　良 어질 량;좋다　狗 개 구　烹 삶을 팽
飽 배부를 포　克 이길 극　晨 새벽 신　禾 벼 화　稻 벼 도

한자 넌센스

▧ **다음이 뜻하는 한자는?** (정답은 53페이지)

11) 10월 10일인 한자?

12) '八王女'인 한자?

13) 좌로 임금 군[君], 우로 임금 군[君]인 한자?

알아두기

▧ **충견忠犬이 만든 지명**

전라북도 임실군에 있는 '오수獒樹'는, 주인의 목숨을 살리고 죽은 충견忠犬 때문에 생긴 지명地名이다. '오獒'는 '개', '수樹'는 '나무'를 뜻하는데, 개의 주인이 개 무덤 앞에 꽂아 놓은 지팡이에서 싹이 돋아 커다란 나무로 자랐다 하여 '오수'라는 지명이 생겨났다.

연습문제

▧ **패턴 및 한자에 유의하면서 다음 문장을 풀이하시오.** (정답은 부록 참조)

18. 子柳子思爲臣 ≪孟子≫

19. 耳不聞人之非 ≪明心寶鑑≫

20. 剛毅木訥近仁 ≪論語≫

21. 求古聖賢用心 ≪小學≫

22. 無不知愛其親 ≪小學≫

23. 一日克己復禮 ≪論語≫

24. 出必告反必面 ≪童蒙先習≫

5. 七字 풀이 패턴

7자는 4자+3자 또는 3자+4자로 직역하는 것이 가장 일반적이다.

7자 주술 구조

~이/가 ~이다/하다

068 古之人與民偕樂 ≪孟子≫

與A偕B : A와 함께 B하다

069 隣國之民不加少 ≪孟子≫

직역 및 해설

○ 古之人/與民/偕樂 (1 2 3 / 5 4 / 6 7) : 옛날의 사람이 백성과 함께 즐기다.

- 古之人〔주〕 與民〔부〕 偕樂〔술〕

○ 隣國之民/不加少 (1 2 3 4 / 7 5 6) : 이웃 나라의 백성이 더〔加〕 적어지지 않다.

- 隣國之民〔주〕 不加少〔술〕

偕 함께 해　隣 이웃 린　加 더할 가; 더욱

CV15490

7자 술목 / 주술목 구조

~이/가 ~을/를 ~하다

A可以B : A로써 B할 수 있다

070 明智可以涉危難 ≪明心寶鑑≫

071 孝順還生孝順子 ≪明心寶鑑≫

072 子之君將行仁政 ≪孟子≫

073 平生不作皺眉事 ≪明心寶鑑≫

074 我未見力不足者 ≪論語≫

직역 및 해설

○ 明智/可以涉/危難 (어순 번호: 明1 智2 可7 以3 涉6 危5 難4) : 현명함과 지혜는 그로써 위태危殆로움과 재난災難을 건널 수 있다.

○ 孝順/還生/孝順子: 효도하고 순한 사람이 다시 효도하고 순한 자식을 낳다.

○ 子之君/將行/仁政 : 그대의 임금이 장차 어진 정치〔仁政〕를 시행하다.

○ 平生/不作/皺眉事 (어순 번호: 平1 生2 不7 作6 皺4 眉3 事5) : 평생 눈썹을 찌푸릴 일을 하지 않다.

- 平生〔부〕 不作〔술〕 皺眉事〔목〕

• 추미皺眉 : 눈살을 찌푸림. 근심이 있거나 기분이 나쁜 모습을 뜻함.

○ 我/未見/力不足者: 내가 아직 힘이 부족한 자를 보지 못하다.

智 지혜 지　涉 건널 섭　皺 주름질 추　眉 눈썹 미

7자 술보 / 주술보 구조

~이/가 ~에게/에서 ~하다

075 仁義禮智根於心 ≪孟子≫

076 舜之居深山之中 ≪孟子≫

077 天子有爭臣七人 ≪小學≫

078 王子有其母死者 ≪孟子≫

직역 및 해설

1 2 3 4 7 6 5
○ 仁義禮智/根/於心 : 인仁과 의義와 예禮와 지智가 마음에 근원根源하다.

1 2 7 3 4 5 6
○ 舜之/居/深山之中 : 순舜임금이 깊은 산 속에 거처居處하다.

1 2 7 3 4 5 6
○ 天子/有/爭臣七人 : 천자에게 간쟁諫爭하는 신하 7인이 있다.

○ 王子/有/其母死者 : 왕자 〈가운데〉 그 어머니가 죽은 사람이 있다.

- 순舜 : 전설상의 성군聖君인 우순虞舜. 오제五帝의 한 사람. 유우씨有虞氏.

순舜

술보 및 술목보 구조

'~이 있다, ~이 없다, ~이 아니다, ~이 되다' 등으로 풀이되면 대개 '술보 구조'나 '술목보 구조'의 문장이며, 주로 '有, 無, 在, 爲' 등의 한자가 쓰인다.

智 슬기/지혜 지　舜 순임금 순

7자 기타 구조

何時A : 언제 A하는가?

079 大同江水何時盡 ≪東文選≫

何處A : 어디에서 A하는가?

080 人生何處不相逢 ≪明心寶鑑≫

081 堂狗三年吟風月 ≪東言解≫

082 七十者衣帛食肉 ≪孟子≫

083 少年易老學難成 ≪明心寶鑑≫

직역 및 해설

○ 大同江水/何時/盡 (1 2 3 4 / 5(8) 6 / 7) : 대동강 물은 어느 때 마르는가?

- 大同江水[주] 何時[부] 盡[술]

○ 人生/何處/不相逢 (1 2 / 3(8) 4 / 7 5 6) : 사람이 살면서 어느 곳에서든 서로 만나지 않겠는가?

○ 堂狗/三年//吟/風月 (1 2 / 3 4 / 7 / 5 6) : 서당개 삼년이면 풍월風月을 읊는다.

- 堂狗[주] 三年[술] + 吟[술] 風月[목]

• 풍월風月 : 자연 경치에 관하여 지은 한시漢詩.

○ 七十者/衣/帛//食/肉 (1 2 3 / 5 / 4 / 7 / 6) : 칠십 된 자가 비단옷을 입고 고기를 먹다.

- 七十者[주] 衣[술] 帛[목] + 食[술] 肉[목]

○ 少年/易/老//學/難/成 (1 2 / 4 / 3 / 5 / 7 / 6) : 소년은 늙기 쉽고, 학문學問은 이루기 어렵다.

- 少年[주] 易[술] 老[보] + 學[주] 難[술] 成[보]

狗 개 구　帛 비단 백　狗 개 구　帛 비단 백

다음이 뜻하는 한자는? (정답은 53페이지)

한자 넌센스

14) 집안이 고요한 한자?

15) 부르기도 전에 대답하는 한자?

16) 거듭 폭행하는 한자?

17) 명필의 왕희지, 문장의 이태백이 석상으로 같이 있는 한자?

사람의 감정은 몇 가지?

알아두기

'칠정七情'은 유학에서 인간의 여러 가지 감정을 통틀어 일컫는 말이다. 《예기》 <예운>에 사람의 감정을 '기쁨〔喜〕', '노여움〔怒〕', '슬픔〔哀〕', '두려움〔懼〕', '사랑〔愛〕', '미움〔惡〕', '욕망〔欲〕'의 일곱 가지로 구분하였다.

패턴 및 한자에 유의하면서 다음 문장을 풀이하시오. (정답은 부록 참조)

연습문제

25_ 一寸光陰不可輕 ≪明心寶鑑≫

26_ 寡人之民不加多 ≪孟子≫

27_ 松柏可以耐雪霜 ≪明心寶鑑≫

28_ 世上應無切齒人 ≪明心寶鑑≫

29_ 老萊子孝奉二親 ≪小學≫

30_ 能行五者於天下 ≪論語≫

31_ 問克己復禮之目 ≪小學≫

6. 八字 풀이 패턴

8자는 4자+4자가 가장 일반적인 풀이법이다.

8자 술보 / 주술보 구조

~이/가 ~에게/에서 ~하다

A于B : B에 A하다

084 三歲之習至于八十 ≪耳談續纂≫

A與B : A와 B
A是B : A는 B이다

085 富與貴是人之所欲 ≪論語≫

A由B : A는 B와 같다

086 今之樂由古之樂也 ≪孟子≫

직역 및 해설

○ 三歲之習(1 2 3 4)/至(8)/于八十(7 5 6) : 세살의 버릇이 여든까지 간다.

○ 富與貴(1 2 3)/是(8)/人之所欲(4 5 7 6): 부유함과 존귀함은 사람이 바라는 것이다.

○ 今之樂(1 2 3)/由(7)/古之樂(4 5 6)/也(8) : 지금의 음악이 옛날의 음악과 같다.

CV15506

由(≒猶) 같을 유

8자 술목보 / 주술목보 구조

~이/가 ~에게/에서 ~을/를 ~하다

8자 '주술목보/술목보 구조'의 문장이다.

087 齊景公問政於孔子 ≪論語≫

A於B : B에 A하다

088 己所不欲勿施於人 ≪論語≫

○ 齊景公/問/政/於孔子 : 제나라 경공이 정치를 공자에게 묻다.

○ 己所不欲/勿施/於人 : 자신自身이 하고자 하지 않는 것을 남에게 베풀지 말라.

- 己所不欲[목] 勿施[술] 於人[보]

목적어와 보어의 직역 순서

위와 같이 '제나라 경공이 정치를 공자에게 묻다.'의 직역 순서보다 '제나라 경공이 공자에게 정치를 묻다.[齊景公/問/政/於孔子]'의 직역 순서가 우리말 어순語順에 적절하다.

그러나 '한문 문장의 구조에 익숙해지기 위해서'는 위와 같이 한자의 출현 순서에 따라 문장을 익히는 것이 도움이 될 수 있다.

직역 및 해설

- 경공景公 : 춘추시대 제齊나라 임금. 이름은 저구杵臼.
- 공자孔子 : 춘추시대春秋時代의 학자學者. 이름은 공구孔丘, 자는 중니仲尼.

공자孔子

齊 가지런할 **제**; 제나라　孔 구멍 **공**

8자 : 기타 구조

8자 문장이 결합된 구조의 문장이다.

089 天網恢恢疏而不漏 ≪明心寶鑑≫

090 農夫餓死枕厥種子 ≪耳談續纂≫

091 三人行必有我師焉 ≪論語≫

직역 및 해설

- 회회恢恢 : 넓고 큰 모양.

○ 天網/恢恢//疏/而/不漏 : 하늘의 그물은 넓고 커서 성기나 새지 않는다.

- 天網[주] 恢恢[부] 疏而[술] + 不漏[술]

○ 農夫/餓死//枕/厥種子 : 농부는 굶어 죽더라도 그 종자를 베고 죽는다.

- 農夫[주] 餓死[술] + 枕[술] 厥種子[목]

○ 三人/行//必有/我師/焉 : 세 사람이 길을 가면, 반드시 거기에 나의 스승이 있다.

- 三人[주] 行[술] + 必有[술] 我師[보] 焉[보]

'焉'의 직역과 생략

'焉'은 문장의 끝에서 '於此(≒於之/於是)'의 축약형으로 쓰일 때가 많은데, 이 경우에는 풀이를 생략해도 된다. 그러나 가급적 직역을 익힐 때는 생략하지 않아야 한문을 익히는 데에 도움이 된다.

網 그물 **망**　恢 넓을 **회**　疏(≒疎) 트일 **소**; 성기다　漏 샐 **루**　餓 주릴 **아**
枕 베개 **침**　厥 그 **궐**　焉 어찌 **언**; 거기에

만세萬歲

알아두기

'만세萬歲'는 '만년萬年'과 같은 의미이다. 좋은 일이 영원히 계속되기를 기원하는 의미에서 만세를 부른다. 원래 만세는 황제의 수명과 영광이 영원하기를 바란다는 뜻에서 황제 앞에서만 불렀다.

다음 문장의 의미는 무엇인가? (정답은 하단에)

한자 넌센스

18) 十線反八三八이요 兩戶亦是三八이며
無酒酒店三八이네 三字各八三八이라 ≪格菴遺錄≫

패턴 및 한자에 유의하면서 다음 문장을 풀이하시오. (정답은 부록 참조)

연습문제

32. 徐行後長者謂之弟 ≪孟子≫

33. 不經一事不長一智 ≪明心寶鑑≫

34. 今士大夫家多忽此 ≪小學≫

35. 天下之士多就之者 ≪孟子≫

36. 川澤多無益之蟲魚 ≪啓蒙篇≫

한자 넌센스 정답

(1) 自 (2) 十 (3) 王 (4) 乃 (5) 先
(6) 朱 (7) 生 (8) 井 (9) 實 (10) 昔
(11) 朝 (12) 姜 (13) 問 (14) 子 아들 자 (15) 預 미리 예
(16) 且 또 차 (17) 碧 푸를 벽 (18) 板門店

III. 공통 기본 패턴

공통 기본 36 패턴 학습

'공통 기본 패턴'은 앞에서 배운 한문의 어순과 문장 구조를 바탕으로 문장을 독해하는데 꼭 필요한 기본 패턴을 익히도록 구성하였다.

처음에는 한문의 가장 기본적인 패턴인 '서술의 패턴'과 단어와 단어, 문장과 문장을 접속하는 '접속의 패턴'을 제시하였고, 이어서 '之, 以, 以爲, 所, 所以, 謂, 曰, 云' 등 문장의 독해에서 주요한 역할을 하는 한자나 자주 나오는 숙어를 중심으로 패턴을 정리하였다.

또한 시간時間을 나타내는 '시간의 패턴'과 범위範圍와 이동移動을 나타내는 '범위·이동의 패턴'을 제시하였고, 마지막으로 문장성분의 위치가 바뀐 '도치倒置 패턴'을 제시하였다.

'공통 기본 패턴'은 33개의 패턴에 3개의 패턴이 추가되어 총 36개의 패턴으로 이루어져 있다.

이를 반복하여 익힌다면 문장 독해의 기초를 완성할 수 있을 것이다.

1. 서술의 패턴
敍述

~이다 ; ~하다

#1 A者B A也者B A也B A則B

A는 B이다 ; A라는 것은 B이다

주어 뒤에 '者, 也, 則, 也者' 등이 결합한 패턴이다.

092 君者는 舟也요 庶人者는 水也라
水則載舟하고 水則覆舟니라 ≪荀子≫

其A與 : 아마 A일 것이다

093 孝弟也者는 其爲仁之本與인저 ≪論語≫

직역 및 해설

○ 君者는 舟也요 庶人者는 水也라 水則載舟하고 水則覆舟니라

임금은 배이고 백성[庶人]은 물이니, 물은 배를 싣기도 하고 물은 배를 엎기도 한다.

○ 孝弟也者는/其/爲仁之本/與인저 (1 其, 3 爲, 2 仁, 4 之, 5 本, 6 與)

효도孝道와 공경恭敬이라는 것은 아마 인을 행하는[行仁] 근본일 것이다.

CV15514

舟 배 주　庶 여러 서　載 실을 재　覆 엎을 복 ; 전복시키다　弟(≒悌) 공경할 제

#2 A是B A爲B

A는 B이다 ; A라는 것은 B이다

주어와 보어 사이에 '是, 爲' 등 서술어가 사용되어 '~이다'로 풀이하는 패턴이다.

094 勤爲無價之寶요
愼是護身之符라 ≪明心寶鑑≫

A之B : A의(한) B

095 長沮曰 夫執輿者 爲誰오
子路曰 爲孔丘시니라 ≪論語≫

○ 勤/爲/無價之寶요//愼/是/護身之符라

부지런함은 값이 없는 보배이고, 신중愼重함은 몸을 보호保護하는 부적符籍이다.

○ 長沮曰 夫執輿者 爲誰오 子路曰 爲孔丘시니라

장저長沮가 말하였다. "저 수레를 모는 사람은 누구인가?
자로子路가 말하였다. "공구孔丘입니다."

직역 및 해설

- 부符 : 금속이나 대나무˙옥 따위로 만들어 신표信票로 삼는 물건.
- 장저長沮 : 춘추시대 초楚나라의 은사隱士.
- 집여執輿 : 고삐를 잡고 수레를 몲.
- 자로子路 : 춘추시대 노魯나라 중유仲由의 자.
- 공구孔丘 : 공자孔子의 성명.

勤 힘쓸 근 ; 근면함 寶 보배 보 愼 삼갈 신 ; 신중함 護 보호할 호 符 부절 부
沮 막을 저 執 잡을 집 輿 수레 여 孔 구멍 공 丘 언덕 구

#3 A於B A于B A乎B

B에게/에서 A하다 ; B를/와 A하다

'於, 于, 乎'가 사용되어 '술보' 또는 '술목보' 구조에 해당하는 패턴이다.

可A : A할 수 있다

096 三年을 無改於父之道라야 可謂孝矣니라 ≪論語≫

A之B : A의(한) B

097 伯夷叔齊는 餓于首陽之下라 ≪論語≫

098 鷄鳴狗吠 相聞而達乎四境이라 ≪孟子≫

직역 및 해설

○ 三年을 無改於父之道라야 可謂孝矣니라

삼년 동안 아버지의 도道를 고치지 말아야 효孝라 이를 수 있다.

○ 伯夷叔齊는 / 餓 / 于首陽之下라

백이伯夷와 숙제叔齊는 수양산의 자락에서 굶어 죽었다.

- 백이伯夷 · 숙제叔齊 : 은殷나라 말의 현인.
- 수양首陽 : 백이와 숙제가 고사리를 먹으며 아사餓死한 산의 이름.

○ 鷄鳴狗吠 相聞而達乎四境이라

닭 울음소리와 개 짖는 소리가 서로 퍼져나가 〈국도國都에서〉 사방의 국경까지 도달한다.

於, 于, 乎

비교比較의 의미가 아닐 때, 대개 처소處所를 뜻하며, '~에, ~에서, ~에게'로 풀이한다.

謂 이를 위 伯 맏 백 夷 오랑캐 이 齊 가지런할 제 餓 주릴 아 ; 굶어 죽다
狗 개 구 吠 짖을 폐 聞 들을 문 ; 퍼져 나가다 境 지경 경 ; 국경

연습문제

▧ **패턴 및 한자에 유의하면서 다음 문장을 풀이하시오.** (정답은 부록 참조)

37. 恭近於禮면 遠恥辱也라 ≪論語≫

38. 中者는 天下之正道라 ≪中庸章句≫

39. 大人者는 不失其赤子之心者也니라 ≪孟子≫

수양산도首陽山圖

2. 접속의 패턴
接續

그리고/그러나, ~와(과)

접속의 패턴은 단어 또는 문장이 연결된 패턴이다. '而, 與, 及, 又, 且' 등이 주로 사용되며, 그 밖에도 '然, 抑' 등이 사용되기도 한다.

한정限定이나 반어反語 패턴의 문장에 활용되기도 한다.

접속의 패턴 일람

A而B	A하여 B하다 A이나/하나 B이다/하다	#4
A與B A及B A又B A且B	A와 B A하고 또 B하다	#5
旣A 又B	이미 A하고 또 B하다	#6
非徒A 而又B 豈徒A 又B	단지 A일/할 뿐만 아니라 또 B이다/하다 어찌 단지 A일/할 뿐이겠는가? 또 B이다/하다	#7
A而後B A以后B	A한 뒤에 B하다	-
A抑B	A이나 B이다	-

CV15521

#4 A而B

A하고 B하다 ; A하여 B하다 ; A하나 B하다

'그리고, 그리하여'를 뜻하는 순접順接과 '그런데, 그러나'를 뜻하는 역접逆接이 있다.

099 父母有疾이어시든 憂而謀瘳하라 ≪四字小學≫

100 溫故而知新이면 可以爲師矣니라 ≪論語≫

A可以B : A로써 B할 수 있다

101 或曰 雍也는 仁而不佞이로다 ≪論語≫

직역 및 해설

○ 父母有疾이어시든 憂而謀瘳하라

부모님이 병이 있으시면 근심하고 낫게 하기를 꾀하라.

○ 溫故而知新이면 可以爲師矣니라

옛〈날 배운〉 것을 다시 익혀서 새것을 알면, 스승이 될 수 있다.

○ 或曰 雍也는 仁而不佞이로다

혹자或者가 말하였다. "옹雍은 인仁하나 말재주가 없다."

• 옹雍 : 춘추시대 노魯나라 사람. 염옹冉雍. 공문십철孔門十哲의 한 사람.

疾 병 질 ; 병들다　謀 꾀 모　瘳 병나을 추　溫 따뜻할 온 ; 익히다
弟(≒悌) 공경 제　雍 화(和)할 옹　佞 말잘할 녕

#5 A與B A及B A又B A且B

A와 B ; A하고 또 B하다

단어와 단어, 또는 문장과 문장이 '與, 及, 又, 且' 등으로 대등하게 연결된 패턴이다.

102 弑父與君은 亦不從也리라 ≪論語≫

謂AB : A를 평하여 B라고 하다

103 子謂韶하사되 盡美矣요 又盡善也라 ≪孟子≫

104 待先生이 如此其忠且敬也 ≪孟子≫

직역 및 해설

- 시弑 : 아랫사람이 윗사람을 죽임.
- 소악韶樂 : 중국 상商나라 순舜임금의 음악..

○ 弑父與君은 亦不從也리라

아버지와 임금을 시해弑害하는 일은 또한 따르지 않을 것이다.

○ 子謂韶하사되 盡美矣요 又盡善也라

공자가 소악韶樂을 평하여 '지극히 아름답고 또 지극히 좋다.'고 하였다.

○ 待先生이 如此其忠且敬也라

선생을 대하는 것이 이처럼 매우[其] 충성스럽고 또 공경스럽다.

賤 천할 천 韶 풍류 이름 소

#5-1 與AB 與A同B 與A齊B 共A一B

A와 함께 B하다 ; A와 B를 함께/나란히 하다

#5와는 다르게, 여기의 A는 대상이 오며, B는 서술어/목적어로 구성된다.

與AB(A와 함께 B하다)의 B가 더욱 구체화 되면 '與A偕B, 與A同B, 與A相B, 與A俱B, 與A齊B, 與A雙B, 連A共B, 共A一B' 등으로 다양하게 변형된다.

'A와 B를 함께하다'와 'A와 함께 B하다'의 두 가지 형태의 풀이가 모두 가능한 경우가 있다.

105 彼陷溺其民이어든 王이 往而征之하시면 夫誰與王敵이리잇고 ≪孟子≫

誰A : 누가 A하겠는가?

106 今王이 與百姓同樂하시면 則王矣시리이다 ≪孟子≫

107 落霞는 與孤鶩齊飛하고 秋水는 共長天一色이라 ≪古文眞寶≫

직역 및 해설

○ 彼陷溺其民이어든 王이 往而征之하시면 夫誰與王敵이리잇고

저들이 제 백성을 함정에 몰아넣고 물에 빠트리고 왕이 좇아가서 그 일을 바로잡는다면 대체 누가 왕과 대적하겠습니까?

○ 今王이 與百姓同樂하시면 則王矣시리이다

지금 왕께서 백성과 함께 즐거워하신다면 왕 노릇 하실 것입니다. / 지금 왕께서 백성과 즐거움을 함께하신다면 왕 노릇 하실 것입니다.

○ 落霞는 與孤鶩齊飛하고 秋水는 共長天一色이라

저녁노을 한 마리 청둥오리와 나란히 날고, 가을 물은 드넓은 하늘과 한 빛이네. / 가을 물은 드넓은 하늘과 빛을 같이하네.

陷 빠질 함　溺 빠질 닉　征(≒正) 바로잡을 정　霞 노을 하　鶩 집오리 목
齊 가지런할 제

#6 旣A 又B

이미 A하고 또 B하다 ; A한 후에 또 B하다

사건이나 사실이 순차적으로 나열된 패턴이다.

108 愛之란 欲其生하고 惡之란 欲其死하나니 旣*欲其生이요 又*欲其死가 是惑也니라 ≪論語≫

A以爲B : A해서 B하다

109 舜이 旣*爲天子矣요 又*帥天下諸侯하여 以爲堯三年喪이면 是는 二天子矣니라 ≪孟子≫

직역 및 해설

○ 愛之란 欲其生하고 惡之란 欲其死하나니 旣欲其生이요 又欲其死가 是惑也니라

그를 사랑하면 그가 살기를 바라고 그를 미워하면 그가 죽기를 바라니 이미 그가 살기를 바라고 또 그가 죽기를 바라는 것, 이것이 의혹疑惑이다.

○ 舜이 旣爲天子矣요 又帥天下諸侯하여 以爲堯三年喪이면 是는 二天子矣니라

순舜임금이 이미 천자가 되고 또 천하의 제후諸侯들을 이끌고서 요堯임금의 삼년상을 지냈다면 이는 두 명의 천자이다.

※ 참고 A而後B A而后B A以後B

A한 뒤에 B하다

• 身修而后에 家齊하고 家齊而后에 國治하고 國治而后에 天下平이니라

몸이 닦여진 뒤에 집안이 가지런해지고, 집안이 가지런해진 뒤에 나라가 다스려지고, 나라가 다스려진 뒤에 천하가 화평和平해진다.

惡 악할 악 ; 미워할 오　惑 미혹할 혹　舜 순임금 순　帥 장수 수 ; 이끌다
侯 제후 후　堯 요임금 요

#7 非徒A 而又B 豈徒A 又B

단지 A일 뿐 아니다. 또 B이다 ; 어찌 다만 A 뿐이겠는가? 또 B이다

한정이나 반어의 패턴 뒤에 허사 '而又, 又'가 사용되어 내용이나 의미가 확장된 패턴이다.

110 以爲無益而舍之者는 不耘苗者也요
助之長者는 揠苗者也니
非徒無益이라 而又害之니라 ≪孟子≫

以爲A 而B : A라 여겨서 B하다
A者B也 : A는 B이다

111 今之君子는 豈徒順之리오 又從而爲之辭로다
≪孟子≫

○ 以爲無益而舍之者는 不耘苗者也요 助之長者는 揠苗者也니 非徒無益이라 而又害之니라

이로움이 없다〔無益〕고 여겨서 그것을 버려두는 자는 싹을 김매지 않는 자이다. 그것을 자라게 돕는〔助長〕 자는 싹을 뽑는 자이니, 단지 이로움이 없을 뿐이 아니고 또 그것을 해치는 것이다.

○ 今之君子는 豈徒順之리오 又從而爲之辭로다

지금의 군자君子는 어찌 한갓 그것을 따르기만 하겠는가? 또 따라서 그 때문에 변명辨明을 한다.

직역 및 해설

· 알묘조장揠苗助長 : 곡식을 빨리 자라게 하려고 그 싹을 뽑아 올림. 억지로 빨리 이루려다가 그르쳐 해만 되고 이로움이 없음을 비유하는 말.

舍(≒捨) 버릴 사　耘 김맬 운　苗 모 묘　揠 뽑을 알　豈 어찌 기
爲 위할 위;~때문이다　辭 변명할 사

'與'의 쓰임

A與B	A와 B, B와 더불어(함께)	#5
與A B 與A同B 與A齊B	A와 B하다 A와 함께 B하다 A와 B를 함께/나란히 하다	#5-1
A與	A인가?	#43
豈A與	어찌 A인가?	#44
A與	A로구나!	#74
其A與	아마/분명 A일 것이다.	#76
與其A也 寧B	A하기 보다는 차라리 B하는 것이 낫다.	#57
與其A(也) 不如/不若B	A하는 것은 B하느니만 못하다.	#58
與其A也 無寧B(乎)	A하기 보다는 차라리 B하는 것이 낫지 않겠는가?	#59
與其A也 豈若B(哉)	A하는 것이 어찌 B하는 것과 같겠는가?	#59
A與 (B與) … 抑 C與 (D與)	A인가? (B인가?) 아니면 C인가? (D인가?)	#60
與	주다 / 인정하다 / 참여하다	-

연습문제

패턴 및 한자에 유의하면서 다음 문장을 풀이하시오. (정답은 부록 참조)

40. 過而不改 是謂過矣니라 ≪論語≫

41. 夫樹欲靜而風不止하고 子欲養而親不待라 ≪漢詩外傳≫

42. 良藥은 苦於口나 而利於病이요 忠言은 逆於耳나 而利於行이라 ≪說苑≫

43. 擇其善者而從之요 其不善者而改之니라 ≪論語≫

44. 旣不能令하고 又不受命이면 是는 絶物也라 ≪孟子≫

45. 水連天共碧이요 風與月雙淸이라 ≪推句≫

3. '之'의 패턴

~의, ~가, ~를

'之'가 허사로 쓰일 경우에는 'A之B'가 기본형이며, '~의(한), ~이/가, ~을/를'의 의미이다. 그 외에 실질적인 의미를 가지는 패턴은 '그것'과 '가다'의 의미로 쓰이는 경우가 있다.

'之'는 사서四書에 2천 8백 회 이상 쓰이는 출현 빈도가 가장 많은 한자이다. 패턴에 대해 주의하여야 한다.

'之'의 쓰임

A之B	A의 B, A하는 B	#8
A之B也	A가 B하는 것은 A가 B할 때에	#9
A之於B也	A가 B에 있어서 A가 B를 대함에	#10
A之所以B(也)	A가 B하는 것/까닭은 A가 B한 까닭이다	#20
A之B	A를 B하다	#31
A之	그것(을) A하다	-
之A	A에 가다	-

CV15530 

#8 A之B

A의 B ; A하는 B

'之'가 '수식어+之+피수식어'의 형태로 사용된 패턴이다.

A以B : A로써 B하다

112 他山之石이라도 可以攻玉이라 ≪詩經≫

A如B : A는 B와 같다
A若B : A가 B와 같다

113 君子之交는 淡如水하고
小人之交는 甘若醴니라 ≪明心寶鑑≫

114 積善之家는 必有餘慶이요
不善之家는 必有餘殃이니라 ≪周易≫

직역 및 해설

- 옥玉은 ①옥, ②옥덩이의 의미. 여기서는 가공되지 않은 옥덩이의 의미.

○ 他山之石이라도 可以攻玉이라

다른 산의 돌이라도 옥을 갈 수 있다.

○ 君子之交는 淡如水하고 小人之交는 甘若醴니라

군자의 사귐은 담담淡淡함이 물과 같고, 소인小人의 사귐은 달기가 단술과 같다.

○ 積善之家는 必有餘慶이요 不善之家는 必有餘殃이니라

선을 쌓은 집안에는 반드시 남은 경사慶事가 있고, 불선不善한 집안에는 반드시 남은 재앙災殃이 있다.

攻 칠 공;다스리다　淡 맑을 담　醴 단술 례　積 쌓을 적　殃 재앙 앙

#8-1 A之B者

A 중에 B한 것 ; B한 A ; B하게 A하다

A의 여러 특성 중에 B를 특정하는 패턴으로, 한문구조의 독특한 유형이므로 눈여겨 볼 필요가 있다. '之, 者'는 하나가 생략되거나 모두 생략되기도 한다.

115 奕秋는 通國之善奕者也라 ≪孟子≫

116 責善은 朋友之道也니
父子責善은 賊恩之大者니라 ≪孟子≫

117 水之小者를 謂川이요 水之大者를 謂江이요
山之卑者를 謂丘요 山之峻者를 謂岡이니라
≪啓蒙篇≫

직역 및 해설

○ 奕秋는 通國之善奕者也라

혁추奕秋는 온 나라 사람 가운데 바둑을 잘하는 자이다.

○ 責善은 朋友之道也니 父子責善은 賊恩之大者니라

책선責善이란 벗의 도道이다. 부모와 자식 간의 책선은 은혜를 해치는 일 가운데 큰 것이다.

○ 水之小者를 謂川이요 水之大者를 謂江이요 山之卑者를 謂丘요 山之峻者를 謂岡이니라

물 가운데 작은 것을 천川이라 하고, 물 가운데 큰 것을 강江이라 하며, 산 가운데 낮은 것을 언덕[丘]이라고 하고, 산 가운데 높은 것을 등성[岡]이라고 한다.

- 혁추奕秋 : 고대에 바둑을 잘 두던 사람.
- 책선責善 : 선행을 권면함.

奕 바둑 **혁**　賊 : 해칠 **적**　峻 높을 **준**　岡 산등성이 **강**

#9 A之B也

A가 B하는 것은(할 때에)

'주어+之+서술어'의 형태로 사용되는데, 뒤에 '也'가 따르는 경우가 많다.

A之B : A의(한) B
A猶B : A는 B와 같다

118 仁之勝不仁也는 猶水勝火라 ≪孟子≫

A耳矣 : A일 뿐이다

119 人之易其言也는 無責耳矣니라 ≪孟子≫

직역 및 해설

○ 仁之勝不仁也는/猶/水勝火라

인仁이 불인不仁을 이기는 것은 물이 불을 이기는 것과 같다.

○ 人之易其言也는 無責耳矣니라

사람이 말을 함부로 하는 것은 책임이 없어서일 뿐이다.

※ 참고 之 - 그것

○ 父子는 天性之親이라 生而育之하고 愛而教之하며 奉而承之하고 孝而養之니라 ≪童蒙先習≫

부모와 자식은 하늘이 정해준 친함이다. 〈부모는〉 그(자식)를 낳아서 기르고, 그(자식)를 사랑하고 가르치며, 〈자식은〉 그(부모)를 받들어 뜻을 이어가고 그(부모)에 효도하면서 봉양奉養한다.

責 꾸짖을 책 易 쉬울 이

#10 A之於B也

A가 B에 있어서 ; A가 B를 대함에

'A之於B也'는 서술어가 생략된 패턴이다. 보통 '於' 앞에 '在'나 '對'가 있는 형태로 풀이한다.

120 君子之於禽獸也에 見其生하고 不忍見其死하며 聞其聲하고 不忍食其肉이라 ≪孟子≫

121 周公之不有天下는 猶益之於夏와 伊尹之於殷也니라 ≪孟子≫

A猶B : A는 B와 같다

○ **君子之於禽獸也**에 **見其生**하고 **不忍見其死**하며 **聞其聲**하고 **不忍食其肉**이라

군자君子가 금수禽獸를 대함에 그 산 것을 보고서 차마 그 죽은 것을 보지 못하며, 그 소리를 듣고서 차마 그 고기를 먹지 못한다.

○ **周公之不有天下**는 **猶益之於夏**와 **伊尹之於殷也**니라

주공周公이 천하를 소유所有하지 못함은 익益이 하夏나라에 있어서와 이윤伊尹이 은殷나라에 있어서와 같다.

직역 및 해설

- 이윤伊尹 : 은殷나라의 어진 정승. 이름은 지摯.
- 익益 : 하夏나라의 어진 정승. 백익伯益.
- 주공周公 : 주周 문왕文王의 아들. 제도를 정비함.

주공周公

禽 새 금　獸 짐승 수　周 두루 주　伊 저 이　尹 다스릴 윤　殷 은나라 은

'之' 다양한 풀이 방법

志之立·知之明·行之篤이 皆在我耳니 豈可他求哉리오

이 문장은 아래와 같이 다양한 패턴으로 풀이가 가능하다.

① 뜻의 확립, 지혜의 명확함, 행동의 독실함(#8)

② 뜻이 서는 것, 앎이 명확한 것, 행동이 독실한 것(#9)

③ 뜻을 확립하는 것, 앎을 명확히 하는 것, 행동을 독실하게 하는 것(#31)이 모두 나에게 있으니, 어찌 다른 것에서 구할 수 있겠는가?

알아두기

적선積善과 동냥

거지가 동냥을 할 때 흔히 "적선하십시오."라고 말한다. 자기를 도와주는 것이 '선을 쌓는 일'이니 자기를 도우면 좋은 일이 있을 것이라는 의미를 내포하고 있는 말이다.

한편 '동냥'이라는 말은 예전에 중이 방울을 흔들며 탁발[이 집 저 집 다니며 먹을 것을 얻는 것]한 것을 '동령動鈴[방울을 흔들다]'이라고 한 것이 변한 말이다.

연습문제

패턴 및 한자에 유의하면서 다음 문장을 풀이하시오. (정답은 부록 참조)

46_ 行惡之人은 如磨刀之石이라 ≪明心寶鑑≫

47_ 伯夷는 聖之清者也요 伊尹은 聖之任者也요 柳下惠는 聖之和者也요 孔子는 聖之時者也시니라 ≪孟子≫

48_ 君子之於天下也에 無適也하며 無莫也라 ≪論語≫

49_ 孝子之事親에 居則致其敬이라 ≪小學≫

50_ 見人之善이어든 而尋己之善하라 ≪明心寶鑑≫

51_ 梁惠王曰 寡人之於國也에 盡心焉耳矣라 ≪孟子≫

4. '以'의 패턴

~로써, ~을, ~때문에

'以[써 이]'는 한문의 독해에서 매우 쓰임이 많은 글자 중 하나이다.

'以'를 중심으로 앞뒤에 다른 한자가 결합되어 다양한 패턴을 이루는데, '以'가 문장에서 보이면 다음 중 어느 것인지를 판단하여야 한다.

또 종종 '以' 앞뒤로 '所, 爲' 등의 한자가 생략된 것으로 보아야 이해가 쉬운 경우가 있다.

'以'의 쓰임

以AB	A로써/를 B하다	*#11*
A以B	A로써/를 B하다, A하여 B하다.	*#12*
A以B	B로써 A하다, B를 가지고 A하다	*#13*
以A / A以	A 때문에/이다	*#14*
以A 爲B	A로써/를 B라고/로 여기다/말하다/삼다	*#15*
A以 爲B	A로써/를 B라고/로 여기다/말하다/삼다	*#16*
所以A	A하는 것[까닭, 방법, 도구]	*#19*
A之所以B(也)	A가 B하는 것은/이다	*#20*
所以A者 以B(也)	A한 것[까닭]은 B 때문이다	*#21*
自A以(B) 至(於)C	A부터 B로 C(에 이르기)까지	*#28*
以A	쓰다[用], 따르다[因] 등	-

CV15537

#11 以A B

A로써(로서) B하다 ; A를 B하다

이 때에 'A로써(를 가지고) B하다'는 도구·방법을 의미하고, 'A로서 B하다'는 자격을 의미한다.

여기부터 패턴 #13의 'A以B'까지는 '以'와 '서술어, 목적어, 보어'의 위치를 서로 비교하여 보라.

122 弟以*其一로 與兄이라 ≪高麗史節要≫

123 以*衣溫我하시고 以*食飽我로다 ≪四字小學≫

직역 및 해설

○ **弟以其一**로 **與兄**이라

동생이 그 하나를 형에게 주다.

○ **以衣溫我**하시고 **以食飽我**로다

옷으로써 나를 따뜻하게 하고, 음식으로써 나를 배부르게 하셨다.

형제투금兄弟投金의 유래

같이 길을 가던 형제兄弟가 금덩이를 주워 나눠 가졌다. 그런데 동생이 갑자기 자기 몫의 금덩이를 강물에 던져버렸다. 깜짝 놀란 형이 묻자, "제 마음속에 생긴 나쁜 마음을 없애기 위해 버렸습니다."라고 대답對答했다. 이 말을 들은 형도 부끄러워하며 자신이 갖고 있던 금덩이를 강물에 던져버렸다. 이후 두 형제는 우애 좋게 살았다고 한다.

與 줄 **여**　飽 배부를 **포**; 배부르게 하다

#12 A以B

A로써 B하다 ; A하여 B하다

도구·방법·자격 등의 의미하는 바는 '以AB'(#11)와 같다.

124 腹以懷我하시고 乳以哺我로다 ≪四字小學≫

125 參乎아 吾道는 一以貫之니라 ≪論語≫

A乎 : A야!(호칭)

126 回也는 聞一以知十하고
賜也는 聞一以知二하노이다 ≪論語≫

A也B : A는 B이다

직역 및 해설

○ 腹以懷我하시고 乳以哺我로다

배로써 나를 품어주고, 젖으로써 나를 먹여주다.

○ 參乎아 吾道는 一以貫之니라

증삼曾參아! 나의 도道는 하나로써 그것을 꿰뚫고 있다.

• 삼參 : 증자曾子의 이름.

○ 回也는 聞一以知十하고 賜也는 聞一以知二하노이다

안연[回]은 하나를 들어서 열을 알고, 자공[賜]은 하나를 들어서 둘을 안다.

- 이 문장의 'A以B'는 'A而B'와 유사한 구조로, '~해서'로 풀이한다.

腹 배(신체) 복　懷 품을 회　乳 젖 유　哺 먹일 포　輔 도울 보
參 석 삼 ; 참여할 참　貫 꿸 관　賜 줄 사

#13 A以B

B로써 A하다 ; B를 가지고 A하다

보어 또는 목적어인 B가 '以B'의 형태로 서술어의 뒤에 위치한 패턴이다. B는 도구·방법·대상을 의미한다.

127 君使臣以禮하며 臣事君以忠이니이다 ≪論語≫

128 五畝之宅에 樹之以桑이면
五十者可以衣帛矣라 ≪孟子≫

직역 및 해설

○ **君使臣以禮**하며 **臣事君以忠**이니이다

임금은 예禮로써 신하臣下를 부리고, 신하는 충忠으로써 임금을 섬겨야 한다.

- 君/使/臣/以禮//臣/事/君/以忠

○ **五畝之宅**에 **樹之以桑**이면 **五十者可以衣帛矣**라

5묘畝의 집에 뽕나무를 심으면 50 된 자가 비단옷을 입을 수 있다.

'A之以B'의 풀이 방법

'A하기를 B로써 하다, B로써 A하다'의 두 가지로 풀이할 수 있는데, 전자前者가 전통적인 방식에 해당된다.

使 부릴 사　畝 밭이랑 묘　桑 뽕나무 상　帛 비단 백

#14 以A A以

A때문에 ; A때문이다

이유를 뜻하는 패턴으로, 문장과 문장을 '원인+결과'의 형태로 접속하는 역할로 쓰이기도 한다.

129 君子는 不以*天下儉其親이니라 ≪孟子≫

130 父母之年은 不可不知也니
一則以*喜요 一則以*懼니라 ≪論語≫

不可不A
: A하지 않을 수 없다

131 敏而好學하며 不恥下問이라
是以*로 謂之文也라 ≪論語≫

직역 및 해설

○ 君子는 不以天下儉其親이니라

군자는 천하天下 때문에 그 어버이에게 검소儉素하게 하지 않는다.

○ 父母之年은 不可不知也니 一則以喜요 一則以懼니라

부모의 나이는 알지 않으면 안 되니, 한편으로는 기쁘기 때문이고 한편으로는 두렵기 때문이다.

○ 敏而好學하며 不恥下問이라 是以로 謂之文也니라

명민明敏하면서도 배우기를 좋아하며 아랫사람에게 묻기를 부끄럽게 여기지 않았다[不恥下問]. 이 때문에 문文이라 하였다.

• 불치하문不恥下問 : 자기보다 아랫사람에게 배우는 것을 부끄럽게 여기지 아니함.

儉 검소할 검 年 나이 년 懼 두려울 구 敏 민첩할 민 恥 부끄러울 치

※ 참고 以A - 쓰다(사용하다)

'A를 쓰다(사용하다)'는 '用'의 의미로 사용된 것이다.

- 曰 敢問招虞人何以니잇고 曰 以皮冠이니 庶人은 以旃이요 士는 以旂요 大夫는 以旌이니라 ≪孟子≫

〈만장이〉 말하였다. "감히 묻겠습니다. 우인虞人을 부를 때는 무엇을 사용합니까?" 〈맹자가〉 말하였다. "피관皮冠을 사용하니, 서인庶人은 전旃을 사용하고, 사士는 기旂를 사용하고, 대부大夫는 정旌을 사용한다."

- 우인虞人 : 산림山林, 천택川澤, 원유苑囿 등을 관장하는 벼슬.
- 피관皮冠 : 사냥할 때에 쓰는, 가죽으로 만든 모자.
- 전旃 : 무늬 없는 붉은 깃발.
- 기旂 : 용을 그린 붉은 깃발.
- 정旌 : 깃대를 장식한 깃발.

연습문제

패턴 및 한자에 유의하면서 다음 문장을 풀이하시오. (정답은 부록 참조)

52_ 君子는 以文會友하고 以友輔仁이니라 ≪論語≫

53_ 生事之以禮하며 死葬之以禮하며 祭之以禮니라 ≪論語≫

54_ 爾曹는 但常以責人之心으로 責己하라 ≪小學≫

55_ 積書以遺子孫이라 ≪明心寶鑑≫

56_ 居敬以立其本하며 窮理以明乎善하며 力行以踐其實이니 三者는 終身事業也니라 ≪擊蒙要訣≫

5. '以爲'의 패턴

삼다, 생각하다, 말하다

주로 '以A爲B'의 형태로 쓰이며, 'A以爲B'의 형태로 쓰이기도 한다.

四書에서만 약 200여 회 등장하는 매우 중요한 패턴이다.

'以爲'의 패턴

以A 爲B	A를/로써 B라고 여기다/말하다/삼다
A以爲B	A를/로써 B라고 여기다/말하다/삼다

'以AB'와 '以A爲B'의 관계

'以AB' A를/로써 B하다 → '以A爲B' A를/로써 B라고 여기다/말하다/삼다

'以A 爲B'는 '以AB'의 'B'가 '爲B'로 구체화 된 형태이다. 즉, '以A爲B'는 넓은 범주에서 '以AB'의 패턴에 속한다.

'A以B'와 'A以爲B'의 관계도 동일하다.

CV15547

#15 以A爲B

A를 B라고 여기다/말하다/삼다

'以A'라는 목적어와 'B라고 하다'라는 서술어로 이루어진 패턴이다.

132 衣以新爲好하고 人以舊爲好라 ≪旬五志≫

A乎B : B에게 A하다

133 二三子는 以我爲隱乎아 吾無隱乎爾로라 ≪論語≫

134 百姓은 皆以王爲愛也어니와

臣은 固知王之不忍也하노이다 ≪孟子≫

직역 및 해설

○ 衣/以新/爲/好하고//人/以舊/爲/好라

옷은 새 것을 좋게 여기고, 사람은 옛 사람을 좋게 여긴다.

• 이삼자二三子 : 너희들.

○ 二三子는 以我爲隱乎아 吾無隱乎爾로라 (吾[1] 無[5] 隱[4] 乎[3] 爾[2])

그대들은 나를 숨긴다고 여기는가? 나는 그대들에게 숨기는 것이 없노라.

○ 百姓은/皆/以王/爲/愛/也어니와//臣은/固知/王之不忍/也하노이다 (臣[1] 固[2] 知[7] 王[3] 之[4] 不[6] 忍[5] 也[8])

백성百姓은 모두 왕을 아낀다고 여길 것이나, 신은 진실로 왕이 차마 하지 못함[不忍]을 안다.

隱 숨길 은　爾 너 이 ; 너희들　愛 아낄 애　固 굳을 고 ; 참으로, 진실로

#16 A以爲B

A를 B라고 여기다/말하다/삼다

'以A爲B'의 '以A'가 'A以'로 도치되어 목적어가 강조된 패턴이다.

135 事君盡禮를 人以爲諂也로다 ≪論語≫

136 楚書曰 楚國은 無以爲寶요
惟善을 以爲寶라하니라 ≪大學≫

無以爲A : A로 여길 것이 없다

직역 및 해설

○ 事君盡禮를 人以爲諂也로다

임금 섬김에 예를 다하는 것을 사람들은 그것을 아첨阿諂한다 여기는구나!

○ 楚書曰 楚國은 無以爲寶요 惟善을 以爲寶라

《초서》에 말하였다. "초나라는 보배로 여기는 것이 없고 오직 선善만을 보배로 여긴다."

• 초서楚書 : 《초어楚語》. 춘추시대 초나라에 대한 기록.

以爲에서 '以'의 독해

'A以 爲B'에서 A는 보통 앞의 특정 내용이나 상황을 지칭한다.

그러나 위 문장처럼 'A가 생략되는 경우'가 있는데, 이 경우에 '以'는 '~한/하는 것'의 형태로 풀이하는 것이 자연스럽다.

楚 초나라 초　寶 보배 보　惟 오직 유　事 섬길 사　諂 아첨할 첨　夷 오랑캐 이
齊 가지런할 제　遜 겸손할 손 ; 양위하다　逃 도망할 도　諫 간할 간　餓 주릴 아
悔 뉘우칠 회

알아두기

다함이 없는 창고 – '무진장無盡藏'

'무진無盡'은 다함이 없다는 뜻이고 '장藏'은 창고이므로, 글자대로 풀이하면 다함이 없는 창고'라는 뜻이 된다. 양적·질적으로 엄청나게 많다는 것을 나타내는 말이다. 불교에서는 덕이 광대하여 다함이 없음을 나타내는 말로 쓰인다. 중국의 사원에는 무진장이라는 금융 기관이 있었다.

술이부작述而不作

옛사람의 설을 서술敍述했을 뿐 창작創作한 것이 아니라는 말로, 저술에 대한 겸양謙讓을 나타낸 뜻. ≪논어論語≫ 〈술이述而〉에 나오는 말이다.

연습문제

패턴 및 한자에 유의하면서 다음 문장을 풀이하시오. (정답은 부록 참조)

57. 惡衣惡食을 深以爲恥라 ≪擊蒙要訣≫

58. 爲仁은 以孝弟爲本이라 ≪論語集註≫

59. 寡人之囿는 方四十里로되 民이 猶以爲大는 何也잇고 ≪孟子≫

60. 不以利爲利요 以義爲利也니라 ≪禮記≫

61. 無憂者는 其惟文王乎신저 以王季爲父하시고 以武王爲子하시니 父作之어시늘 子述之하시니라 ≪中庸≫

62. 子路聞善이면 勇於必行하니 門人이 自以爲弗及也라 ≪論語集註≫

63. 伯夷叔齊遜國而逃하고 諫伐而餓호되 終無怨悔하니 夫子以爲賢이라 ≪論語集註≫

6. '所'의 패턴

~하는 것, ~한 곳

'所'는 'A所'와 '所A'의 두 가지 패턴이 있다.

주로 '以'와 결합되어 확장되며[#19~#21], 그 밖에 '피동의 所'(#62)도 있다.

#17 A所

A의 곳 ; A하는 곳

'장소+所'의 형태로 장소를 의미하는 패턴이다. 앞의 'A'가 '所'를 꾸민다.

137 爲政以德이 譬如北辰이 居其所*어든 而衆星이 共之니라 ≪論語≫

A以B : B로써 A하다
譬如A : 비유하면 A와 같다
A而B : A하면 B하다

직역 및 해설

○ 爲政以德이/譬如/北辰이 居其所어든 而衆星이 共之니라 (4 3 2 1 / 5 15 / 6 7 / 9 7 8 / 10 11 12 / 14 13)

덕으로 정치하는 것은, 비유하면 북극성이 그곳에 머물러 있으면 여러 별들이 그것에 향하는 것과 같다.

- '譬如A'는 '비유하면[譬] A와 같다[如]'로 '한 글자씩 나누어서 풀이한다.

譬 비유할 비　辰 별자리 신

CV15552 

#18 所A

A의 곳 ; A한 사람 ; A한 것

뒤의 'A'가 '所'를 꾸미는 패턴이다.

A而B : A에 B하다

138 七十而從心所欲하되 不踰矩호라 ≪論語≫

A也B也 : A는 B이다
於AB : A에 B하다

139 回也는 非助我者也로다
於吾言에 無所不說이온여 ≪論語≫

140 無爲其所不爲하며 無欲其所不欲이라 ≪孟子≫

직역 및 해설

○ 七十而/從/心所欲하되 不踰/矩호라

일흔 살에 마음이 하고자 하는 것을 좇아도 법도法度를 넘지 않았다.

• 종심소욕從心所欲(=종심從心) : 나이 70세를 칭하는 말.

○ 回也는/非/助我者/也로다//於吾言에/無/所不說이온여

안회顏回는 나를 돕는 자가 아니구나! 나의 말에 대해 기뻐하지 않는 것이 없구나!

- 回也(주) 非(술) 助我者(보) 也(술) + 於吾言(부) 無(술) 所不說(보)

• 회回 : 춘추시대 노魯나라 사람 안연顏淵의 이름.

○ 無爲/其所不爲하며//無欲/其所不欲이라

그 하지 않아야 할 것을 하지 말며, 그 하고자 하지 않아야 할 것을 하고자 하지 말라.

踰 넘을 유 矩 법 구 說(≒悅) 기쁠 열

알아두기

28수二十八宿

하늘의 적도를 따라 그 남북에 있는 별들을 28개의 구역으로 구분하여 부른 이름이다. 각 구역에는 여러 개의 별자리들이 있는데, 그 중 대표적인 것을 그 구역에 있는 수宿라고 정하였다. 이러한 수는 전부 28개가 되므로 통칭 28수라고 부른다.

연습문제

패턴 및 한자에 유의하면서 다음 문장을 풀이하시오. (정답은 부록 참조)

64. 察其所安이라 ≪論語≫

65. 君子無所爭이라 ≪論語≫

66. 由是觀之면 則君子之所養을 可知已矣니라 ≪孟子≫

67. 水逆行하여 氾濫於中國하여 蛇龍이 居之하니 民無所定이라 ≪孟子≫

68. 侍飮於長者할새 酒進則起하여 拜受於尊所라 ≪小學≫

7. '所以'의 패턴

~한 것, ~때문이다

'所以A'는 'A하는 까닭(원인), A하는 방법(도구), A하는 것'으로 풀이한다. 사서四書에 42회 출현하는 주요 숙어이다.

所以의 패턴

所以A	A하는 것(까닭, 방법, 도구)	#19
A之所以B(也)	A가 B하는 것은	#20
所以A(者) 以B(也)	A한 것(까닭)은 B 때문이다	#21

'所以, 者' 등의 다중 결합

A 之 所以 B 者/也는 C 之 所以 D 者也/故也라

'A가 B한 것(까닭)은 C가 D했기 때문이다'로 풀이한다.

단 주어 부분과 서술어 부분에 '所以'가 함께 나오는 구절은 보이지 않는다.

CV15556

#19 所以A

A하는 것 ; A하는 도구 ; A한 까닭 ; A하는 방법

所以를 뒤의 서술어가 꾸미는 패턴이다.

141 不患無位요 患所以立하며
不患莫己知요 求爲可知也니라 ≪論語≫

莫AB : A를 B하지 않다

142 非所以內交於孺子之父母也며
非所以要譽於鄕黨朋友也며
非惡其聲而然也니라 ≪孟子≫

직역 및 해설

○ 不患無位요 患所以立하며 不患莫己知요 求爲可知也니라

지위地位가 없음을 걱정하지 말고 지위에 설 방법을 걱정하며, 자신을 알아주는 이가 없음을 걱정하지 말고 알려질 만하기를 구해야 한다.

- '莫己知'는 '부정의 구문에서 대명사가 도치'된 경우이다.〔#29 참조〕

○ 非所以內交於孺子之父母也며 非所以要譽於鄕黨朋友也며 非惡其聲而然也니라

어린아이의 부모와 교분交分을 맺으려는 까닭도 아니며, 고을 사람과 벗에게 명예名譽를 구하려는 까닭도 아니며, 그 〈잔인하다는〉 명성名聲을 싫어해서 그리한 것도 아니다.

- 납교內交 : 친교親交를 맺음〔=納交〕.
- 유자孺子 : 어린아이.
- 요예要譽 : 명예를 바람.

內(≒納) 들일 납　孺 젖 유 ; 젖먹이　要 중요할 요 ; 구하다　譽 명예 예　黨 무리 당
惡 미워할 오　畝 밭이랑 묘　私 사사로울 사 ; 사유하다　畢 다할 필

#19-1 有以A 無以A 亡以A

A할 것이 있다/없다 ; A할 수 있다/없다 ; A한 점이 있다/없다

'有以A, 無以A, 亡以A' 또는 '有所A, 無所A' 등의 형태가 있는데, 모두 '所以'에서 한 글자가 생략된 구조이므로 '有以'나 '有所'는 모두 '有所以'로 풀이하면 된다.

A以B : B로써 A하다

143 孟子對曰 殺人以梃與刃이 有以異乎잇가
曰 無以異也니이다
以刃與政이 有以異乎잇가
無以異也니이다 ≪孟子≫

A與B : A와 B

以A爲B : A를 B로 삼다
非A亡B : A하지 않으면 B할 수 없다

144 天子는 以四海爲家하니 非壯麗면 亡以重威라
≪通鑑節要≫

직역 및 해설

○ 孟子對曰 殺人以梃與刃이 有以異乎잇가 曰 無以異也니이다 以刃與政이 有以異乎잇가 曰 無以異也니이다

맹자가 대답하여 말하였다. "사람을 죽임에 몽둥이와 칼날을 쓰는 일이 다를 것이 있습니까?"
〈왕이〉 말하였다. "다를 것이 없습니다."
〈맹자가 물었다.〉 "칼날과 정치를 쓰는 일이 다를 것이 있습니까?"
〈왕이〉 말하였다. "다를 것이 없습니다."

• 사해四海 : 천하天下와 같음.

○ 夫天子는 以四海爲家하니 非壯麗면 亡以重威라

무릇 천자는 사해四海를 집으로 삼으니, 웅장하고 화려하지 않으면 위엄을 중후하게 할 수 없다.

以(≒用)쓸 이　梃 몽둥이 정　刃 칼날 인　壯 : 씩씩할 장　麗 화려할 려

#20 A之所以B(也)

A가 B하는 것/까닭은 ; A가 B한 것/까닭이다

'A之B(也)'(#9)와 '所以A'(#19)가 결합된 형태의 패턴이다.

145 人之所以成就其德性者는 固莫大於師友之功이라 ≪啓蒙篇≫

莫A於B
: B보다 A한 것이 없다
A者B : A는 B이다

146 允執厥中者는 堯之所以授舜也라 ≪中庸章句≫

A者B也 : A는 B이다

직역 및 해설

○ 人之所以成就其德性者는 固莫大於師友之功이라

사람이 그 덕성德性을 성취成就하는 것은 진실로 스승과 벗의 공보다 큰 것이 없다.

○ 允執厥中者는 堯之所以授舜也라

진실로 그 중을 잡으라[允執厥中]는 것은 요堯임금이 순舜임금에 전해 준 것이다.

固 굳을 고; 진실로　厥 그 궐　堯 요임금 요

#21 所以A者以B(也) 所A者(以)B 所以A以B

A한 것(까닭)은 B 때문이다

'所A者 以B也', '所以A 以B' 등으로 생략하여 쓰이기도 한다.

147 君子所以異於人者는 以其存心也니 君子는 以仁存心하며 以禮存心이니라 ≪孟子≫

以AB : A로써 B하다

148 所貴乎人者는 以其有五倫也니라 ≪童蒙先習≫

A乎B : B를 A하다

149 人所以貴는 以其倫綱이니라 ≪四字小學≫

직역 및 해설

○ **君子所以異於人者**는 **以其存心也**니 **君子**는 **以仁存心**하며 **以禮存心**이니라

군자가 일반인과 다른 까닭은 그 마음을 두기 때문이니, 군자는 인을 마음에 두며, 예를 마음에 둔다.

○ **所貴乎人者**는 **以其有五倫也**니라

사람을 존귀하게 여기는 까닭은 오륜五倫이 있기 때문이다.

○ **人所以貴**는 **以其倫綱**이니라

사람이 귀한 까닭은 삼강三綱과 오륜 때문이다.

- 오륜五倫 : 사람이 지켜야 할 다섯 가지의 윤리. 곧 부자유친父子有親 · 군신유의君臣有義 · 부부유별夫婦有別 · 장유유서長幼有序 · 붕우유신朋友有信.
- 윤강倫綱 : 삼강三綱과 오륜五倫
- 삼강三綱 : 군신君臣 · 부자父子 · 부부夫婦의 도. 곧 군위신강君爲臣綱, 부위자강父爲子綱, 부위부강夫爲婦綱.

綱 벼리 강

알아두기

하루에 천 리를 달리는 말

'천리마千里馬'는 하루에 천 리를 달린다는 준마駿馬를 일컫는다. 예로부터 천리마로 불리는 전설적인 말이 많은데, ≪삼국지연의三國志演義≫에 나오는 '적토마赤兎馬'가 유명하다.

벼리〔綱〕

원래는 고기 잡는 그물의 코를 꿰 그물을 잡아당길 수 있게 한 줄을 말한다. 의미가 확장되어 인간이 지켜야 할 기본적인 '도덕'과 '규범'이란 뜻으로 쓰인다. 그물이 벼리를 이탈하면 그물이 아니듯이 사람이 기본적인 도덕과 규범을 이탈하면 인간이 아닌 것이다. '紀'〔벼리 기〕, '綱' 등의 글자가 있다.

연습문제

패턴 및 한자에 유의하면서 다음 문장을 풀이하시오. (정답은 부록 참조)

69_ 曰 敢問其所以異 ≪孟子≫

70_ 孝者는 所以事君也요 弟者는 所以事長也요 慈者는 所以使衆也니라 ≪大學≫

71_ 此又學校之教에 大小之節이 所以分也라 ≪大學章句≫

72_ 君子所以爲君子는 以其仁也라 ≪論語集註≫

73_ 方里而井이니 井이 九百畝니 其中이 爲公田이라 八家皆私百畝하여 同養公田하여 公事畢然後에 敢治私事하니 所以別野人也니라 ≪孟子≫

8. '謂, 曰, 云'의 패턴

말하다

'말하다, 이르다'의 뜻으로 풀이되는 '謂, 曰, 云'이 활용되어 대상을 지칭하거나, 도치로 활용하거나, 가상假想의 말을 인용하는 패턴으로 사용하고 있다.

'謂, 曰, 云'의 쓰임

謂A 曰B	A에게 B라 말하다 A를 일러(평가하여) B라 말하다	*#22*
A(者) 謂之B	A 그것을 B라 말하다	*#23*
A云爾	A라고 말할 뿐이다	*#24*
A之謂B	A를 B라 이르다	-

CV15563

#22 謂A 曰B　語A 曰B

A에게 B라 말하다 ; A를 일러(평가하여) B라 말하다

A라는 사람에게 말하는 경우와, A에 대하여 타인에게 평評하여 말하는 경우이다. 대다수 전자이지만, 후자가 간혹 있어 내용상 분별해야한다.

150 子謂伯魚曰 女爲周南召南矣乎아 人而不爲周南召南이면 其猶正牆面而立也與인저 ≪論語≫

其A也與 : 아마 A일 것이다
A猶B : A는 B와 같다

151 子謂顔淵曰 惜乎라
吾見其進也요 未見其止也로라 ≪論語≫

A乎 : A하구나!

○ 子謂伯魚曰 女爲周南召南矣乎아 人而不爲周南召南이면 其猶正牆面而立也與인저

공자가 백어伯魚에게 일러 말하였다. "너는 주남周南과 소남召南을 배웠는가? 사람으로서 주남과 소남을 배우지 않으면 아마 바로 담장에 마주하고 서있는 것과 같을 것이다!"

- 正牆(부) / 面(술) / 而(부) / 立(술)

○ 子謂顔淵曰 惜乎라 吾見其進也요 未見其止也로라

공자가 안연顔淵을 평評하여 말하였다. "애석哀惜하도다! 나는 그가 나아감을 보았고, 그의 그침을 보지 못하였다."

직역 및 해설

- 백어伯魚 : 공자孔子의 아들 공리孔鯉의 자字.
- 주남周南·소남召南 : ≪시경詩經≫ 국풍國風의 각 편명.
- 進 나아감 ↔ 止 그침

女(≒汝) 너 여　謂 이를 위　伯 맏 백　周 두루 주　召 부를 소　牆 담 장

#23 A(者) 謂之 B

A (그것을) B라 말하다.

목적어가 서술어의 앞에 나오고 그 자리에 대명사 '之'가 있는 패턴이다.

152 喜怒哀樂之未發을 謂之中이요
發而皆中節을 謂之和라 ≪中庸≫

153 心之所之를 謂之志라 ≪論語集註≫

직역 및 해설

- 중절中節 : 예의와 법도法度에 맞음.

○ **喜怒哀樂之未發을 謂之中이요 發而皆中節을 謂之和라**

기쁨〔喜〕, 노여움〔怒〕, 슬픔〔哀〕, 즐거움〔樂〕이 아직 드러나지 않은 것을 그것을 중中이라 이르고, 드러나서 모두 절도에 맞는 것〔中節〕을 그것을 화和라 이른다.

- '喜怒哀樂'은 '희로애락'이라 읽는다.

○ **心之所之를 謂之志라**

마음이 가는 것을 그것을 지志라 말한다.

- '之'가 3회 등장하는데, 첫 번째는 '~이', 두 번째는 '之'는 '가다', 세 번째는 '그것'으로 풀이한다.

※ 참고 A之謂 B

A를 B라 이르다 ; A를 일러 B라 말하다.

- **天命之謂性이요 率性之謂道요 修道之謂教니라** ≪中庸≫

하늘의 명한 것〔天命〕을 성性이라 이르고, 성품을 따르는 것〔率性〕을 도道라 이르고, 도를 닦는 것〔修道〕을 교教라 이른다.

#24 A云爾

A라고 말할 뿐이다 ; A라고 하지…

'云爾'는 '曰'이 이끄는 인용문의 뒤에서 가상의 말을 표시한다.

154 女奚不曰 其爲人也 發憤忘食하고 樂以忘憂하여 不知老之將至云爾오 ≪論語≫

奚不A : 어찌 A하지 않는가?

155 公明儀曰 宜若無罪焉하니이다 曰 薄乎云爾언정 惡得無罪리오 ≪孟子≫

若A : A인 듯하다
惡A : 어찌 A인가?

○ 女奚不曰 其爲人也 發憤忘食하고 樂以忘憂하여 不知老之將至云爾오

너는 어찌 말하지 않았느냐? '그 사람됨은 분발奮發하여 먹는 일을 잊고, 즐거워 근심을 잊으며, 늙음이 장차 이르는 줄 알지 못할 뿐이다.'라고.

○ 公明儀曰 宜若無罪焉하니이다 曰 薄乎云爾언정 惡得無罪리오

공명의가 말하였다. "당연히 그에게 죄가 없는 듯하다."
〈맹자가〉 말하였다. "'적다'고 말할 뿐, 어찌 죄가 없을 수 있겠는가?"

직역 및 해설

- 발분망식發憤忘食 : 끼니까지 잊을 정도로 어떤 일에 열중하여 노력함.
- 공명의公明儀 : 춘추시대 노魯나라 사람. 자장子張의 문인.

女(≒汝) 너 여 奚 어찌 해 憤 분할 분 爾 너 이; ~뿐 儀 거동 의 宜 마땅 의
薄 엷을 박

연습문제

▧ **패턴 및 한자에 유의하면서 다음 문장을 풀이하시오.** (정답은 부록 참조)

74. 子謂子夏曰 女爲君子儒요 無爲小人儒하라 ≪論語≫

75. 孟子謂宋句踐曰 子好遊乎아 吾語子遊호리라 ≪孟子≫

76. 子謂仲弓曰 犁牛之子 騂且角이면 雖欲勿用이나 山川이 其舍諸아 ≪論語≫

77. 徐行後長者를 謂之弟요 疾行先長者를 謂之不弟라 ≪小學≫

78. 庶幾有補於風化之萬一云爾니라 ≪小學≫

79. 初學之士 或有取焉이면 則亦庶乎行遠升高之一助云爾니라 ≪中庸章句≫

9. 시간의 패턴
時 間

~때에, ~동안

시간時間을 뜻하는 패턴은 어느 한 시점時點을 뜻하거나 어떤 시각時刻에서 어떤 시각까지의 사이를 뜻한다.

#25 A者

A에/에는

'시간을 뜻하는 한자 + 者'의 형태로 시간을 나타내는 패턴이다.

156 古者에 易子而教之하니라 ≪孟子≫

157 昔者에 司馬光이 與其兄伯康으로 友愛尤篤이라 ≪童蒙先習≫

與AB : A와 B하다

직역 및 해설

○ 古者에 易子而教之하니라

옛날에는 아들을 바꾸어 가르쳤다.

○ 昔者에 司馬光이 與其兄伯康으로 友愛尤篤이라

옛적에 사마광이 그의 형 백강과 더불어 우애가 매우 돈독敦篤하였다.

- 사마광司馬光 : 북송北宋 때의 학자. ≪자치통감資治通鑑≫의 편자.

易 바꿀 역　司 맡을 사　伯 맏 백　康 편안할 강　篤 도타울 독

CV15569

#26 A而

A에, A 때에

'시간의 한자+而'의 형태로 특정한 시간이나 시간의 변화를 나타내는 패턴이다.

158 子曰 吾十有五而志于學이라 ≪論語≫

159 俄而姓劉者來問書意어늘 公悉言之라 ≪明心寶鑑≫

A哉B乎 : A하구나! B함이여

160 旣而요 曰 鄙哉라 硜硜乎여 ≪論語≫

직역 및 해설

○ 子曰 吾十有五而志于學이라

공자가 말하였다. "나는 열다섯 살에 학문에 뜻을 두었다."

- 시간을 뜻하는 어휘語彙와 함께 쓰여 특정한 시각이나 시간의 변화를 뜻한다. 가정假定을 뜻하는 패턴과 유사한 형태이다.

○ 俄而/姓劉者/來問/書意어늘 公悉言之라

얼마 뒤 성이 류 씨인 사람이 와서 글의 뜻을 묻자, 공公이 자세히 그것을 말하였다.

- 俄而(부) 姓劉者(주) 來問(술) 書意(목)

• 경경硜硜 : 경쇠 치는 소리.

○ 旣而요 曰 鄙哉라 硜硜乎여

이윽고 말하였다. "비루鄙陋하구나! 땅땅하는 소리여."

有(≒又) 또 유　俄 잠깐 아　劉 죽일 류 ; 성씨　悉 다 실 ; 모두　鄙 더러울 비
硜 돌소리 경

시간 패턴의 용례

古者 / 昔者	옛날
鄕者 / 嚮者 / 曏者 / 向者	지난날
曩者	앞서 / 이전
今者	오늘날 / 요즘
俄而 / 少焉	잠시 후
尋而	오래지 않아
久而	한참 뒤에 / 오래토록

연습문제

패턴 및 한자에 유의하면서 다음 문장을 풀이하시오. (정답은 부록 참조)

80_ 古者에 十五而入大學이라 ≪論語集註≫

81_ 曩者에 使女狗白而往하여 黑而來면 子豈能毋怪哉리오 ≪韓非子≫

82_ 克己復禮하면 久而誠矣리라 ≪小學≫

83_ 旣而供其母하고 自以草蔬로 與客同飯이라 ≪小學≫

84_ 俄而曰 與若芧한대 朝四而暮三이면 足乎아 ≪列子≫

85_ 大孝는 終身慕父母하나니 五十而慕者를 予於大舜에 見之矣로라 ≪小學≫

10. 범위 · 이동의 패턴
範圍　移動

~부터 ~까지

'自A 至B'의 형태는 'A부터 B까지'로 풀이되는 패턴으로 주로 '시간, 공간, 신분의 범위나 이동'을 뜻한다.

'自~ 至~'의 쓰임

自A	A부터	#27
自A 至(於)B	A부터 B(에 이르기)까지	#27
自A 以(B) 至於C	A부터 B로 C에 이르기까지	#28

'自~ 至~'의 구조

自/由/從 A	以 B (上/下/左/右/東/西/前/後/往/來)	至/達(於) C
A부터	B로	C에 이르기까지
시작(출발)점	이동·확산 방향	도착점

'自'의 자리에 '由, 從'이, '至'의 자리에 '達'이 쓰이기도 하며, '以' 대신 '而'가 쓰이기도 한다.

CV15574

#27 自A 自A至B 由A至(於)B

A로부터 ; A부터 B(에 이르기)까지

시간, 공간, 신분 등의 시작/출발점[自A], 또는 도착점까지[至B]의 범위를 표현한 패턴이다.

161 有朋이 自遠方來면 不亦樂乎아 ≪論語≫

不A乎 : A하지 않은가?

162 十有二月者는 自正月二月로 至十二月也라 ≪啓蒙篇≫

A有B : A하고 또 B

163 由湯으로 至於武丁히 賢聖之君이 六七이 作하여 天下歸殷이 久矣니 久則難變也라 ≪孟子≫

A則B : A하면 B하다

직역 및 해설

○ 有朋이 自遠方來면 不亦樂乎아

벗이 있어 먼 곳으로부터 찾아온다면 또한 즐겁지 않겠는가?

○ 十有二月者는 自正月二月로 至十二月也라

열 또 두 달이란 정월, 이월부터 십이월까지이다.

○ 由湯으로 至於武丁히 賢聖之君이 六七이 作하여 天下歸殷이 久矣니 久則難變也라

탕湯왕으로부터 무정武丁에 이르기까지 어질고 성스러운 임금이 여섯, 일곱 명이 일어나 천하가 은殷으로 돌아간 지 오래되었으니, 오래되면 변하기 어렵다.

- 탕湯 : 상商나라를 세운 임금.
- 무정武丁 : 은殷 제20대 왕 고종高宗의 이름.
- 은殷 : 은나라. 국호는 상商이며, 은 땅에 도읍하여 은나라로 부르기도 함.

湯 끓을 탕 ; 탕임금 殷 성할 은 ; 은나라

#28 自A 以/而(B) 至於C

A부터 B로 C(에) 이르기까지

'自A 至B' 사이에 '以'를 넣어 A와 B사이의 이동 및 확산 방향을 포함하고 있는 패턴이다. '於'가 생략되기도 한다.

A則B : A하면 B하다

164 人生八歲어든 則自王公以下로 至於庶人之子弟히 皆入小學이라 ≪大學章句≫

以A爲B : A를 B로 여기다/말하다/삼다

165 自天子로 以至於庶人히 壹是皆以修身爲本이니라 ≪大學≫

직역 및 해설

• 소학小學 : 고대의 학교 이름.

○ 人生八歲어든 則自王公以下로 至於庶人之子弟히 皆入小學이라

사람이 태어나 여덟 살이면 왕王과 공公으로부터 이하로 서인庶人의 자제에 이르기까지 모두 소학小學에 들어갔다.

○ 自天子로 以至於庶人히 壹是皆以修身爲本이니라

천자天子로부터 서인庶人에 이르기까지 한결같이〔壹是〕 모두 몸 닦는 것〔修身〕을 근본으로 삼는다.

庶 여러 서 壹 한 일

한자 넌센스

파자破字 이야기

천자天子도 두려워하는 장수將帥 동탁董卓이 천자의 조서詔書를 받고 대궐大闕로 들어가다가 밤이 되어 무장武將 이숙과 함께 객관客館에 들어 얘기를 나누는데, 밖에서 아이들이 동요童謠를 부르는 소리가 들렸다.

- 千里草 何青青 十日上 不得生

  천리 밖의 풀은 어찌 푸르고 푸르른가?

  십일이 지나면 살 수 없으리라.

이숙은 아이들이 부르는 동요소리가 동탁인 것을 짐작해서 알았다. '千里草'는 '董'자의 파자요, '十日上'은 '卓'자의 파자요, '不得生'은 '살지 못한다'는 뜻이니 전체를 하나로 꿰어보면 '동탁이 죽는다'는 뜻이 된다.

연습문제

패턴 및 한자에 유의하면서 다음 문장을 풀이하시오. (정답은 부록 참조)

86_ 自生民以來로 未有盛於孔子也시니라 ≪孟子≫

87_ 往往에 自幼至長히 愚騃如一하니 由不知成人之道故也니라 ≪小學≫

88_ 子曰 自行束脩以上은 吾未嘗無誨焉이로라 ≪論語≫

89_ 自是以來로 聖聖相承이라 ≪中庸章句≫

90_ 自天子達於庶人하여 三代共之하니라 ≪孟子≫

91_ 由孔子而來로 至於今이 百有餘歲라 ≪孟子≫

11. 도치의 패턴
倒 置

하다 ~을

도치의 패턴은 문장 안에서 서술어와 주어, 목적어, 보어의 위치가 뒤바뀐 경우인데, 한문 문장에서는 목적어나 시간·장소·대상 등을 나타내는 보어나 부사어 등이 문장 앞으로 도치된 경우가 매우 많다.

따라서 여기서는 '특정 한자나 허사 등이 사용되어 구조적인 형태를 갖춘 경우'에 한하여 도치의 패턴으로 제시한다.

'부정구문에서 대명사가 사용된 경우', '의문사가 목적어(보어)인 경우, '之, 是, 而' 등이 '~을/를'로 풀이되는 경우이다.

도치의 패턴		
不AB 未AB	A(대명사)를 B하지 않다	#29
A何B	A가 무엇/어디를 B하는가?	#30
A之B	A를 B하다	#31
A是B	A를 B하다	#32
A而B	A를 B하다	#33
A 哉/矣/乎 B	A하구나, B여!	#75

CV15579

#29 不AB 未AB

A(대명사)를 B하지 않다

'부정사+서술어+대명사'의 어순이 '부정사+대명사+서술어'로 도치되어 부정문에서 대명사가 강조된 패턴이다.

166 不患人之不己知요 患不知人也니라 ≪論語≫

167 不好犯上이요 而好作亂者 未之有也니라 ≪論語≫

직역 및 해설

○ 不患人之不己知요 患不知人也니라

남이 자신을 알아주지 못할까 걱정하지 말고, 〈내가〉 남을 알지 못할까 걱정해야 한다.

○ 不好犯上이요 而好作亂者 未之有也니라

윗사람 범하기를 좋아하지 않으면서 난 일으키기를 좋아하는 자, 아직 그런 자는 있지 않았다.

- 아래 도식과 같이 목적어나 보어의 구절이 긴 경우 해당 구절을 앞으로 빼내고 그 구절을 대신하는 대명사로 그 자리를 채운 후, 다시 부정문에서 대명사와 서술어가 바뀌는 구조이다.

未有 不好犯上而好作亂者也

↓

不好犯上而好作亂者 未有之也

↓

不好犯上而好作亂者 未之有也

患 근심 환;걱정하다 犯 범할 범 亂 어지러울 란;난리

#30 A何B

A가 무엇/어디를 B하는가?

의문사가 목적어나 보어로 쓰일 경우, 서술어 앞에 오는 패턴이다.

168 王이 坐於堂上이어시늘 有牽牛而過堂下者러니

王이 見之하시고 曰 牛는 何之오 ≪孟子≫

169 四時行焉하며 百物生焉하니 天何言哉오 ≪論語≫

직역 및 해설

○ 王이 坐於堂上이어시늘 有牽牛而過堂下者러니 (8 2 1 3 6 4 5 7)

王이 見之하시고 曰 牛는 何之오

왕이 당堂의 위에 앉아 있는데, 소를 끌고서 당 아래를 지나는 자가 있었다. 왕이 그것을 보며 말하였다. "소는 어디를 가는가?"

○ 四時行焉하며 百物生焉하니 天何言哉오 (1 2 4 3)

사계절이 여기에서 운행되고 온갖 사물이 여기에서 생장生長하니, 하늘이 무엇을 말하는가?

- 天(주) 何(목) 言哉(술)

牽 끌 견

#31 A之B

A를 B하다

'之'가 목적어+서술어로 도치된 중간에 위치한 패턴이다.

서술어가 목적어가 도치되는 경우 '之, 是(#32), 而(#33)' 등 다양한 어조사가 삽입되는 경우이다.

170 道聽而塗說이면 德之棄也니라 ≪論語≫

171 天命之謂性이요 率性之謂道요 修道之謂教니라 ≪中庸≫

직역 및 해설

○ 道聽而塗說이면 德之棄也니라

길에서 듣고 길에서 말하면 덕德을 버리는 것이다.

○ 天命之謂性이요 率性之謂道요 修道之謂教니라

하늘이 명한 것[天命]을 성性이라 이르고, 성을 따르는 것[率性]을 도道라 이르고, 도를 수양修養하는 것을 교教라 이른다.

* 도청도설道聽塗說 : 길에서 듣고 길에서 퍼뜨려 말함. 길거리에서 퍼져 돌아다니는 뜬소문을 이른다.

塗(≒道) 길 도 棄 버릴 기 謂 이를 위 率 따를 솔

#32 A是B

A를 B하다

'서술어+목적어'가 '목적어+是+서술어'의 순으로 도치된 패턴이다.

A乎 : A인가?

172 論篤을 是與면 君子者乎아 色莊者乎아 ≪論語≫

所A : A한 것

173 先生施教어시든 弟子是則하여 溫恭自虛하여 所受是極이니라 ≪小學≫

직역 및 해설

• 논독論篤 : 언론言論이 독실篤實함. 또는 그러한 사람.

○ 論篤을 是與면 君子者乎아 色莊者乎아

언론言論이 독실한 것을 인정認定한다면, 군자다운 사람인가? 안색顏色이 근엄謹嚴한 사람인가?

- '與論篤'이 '論篤是與'로 도치됨.

○ 先生施教어시든 弟子是則하여 溫恭自虛하여 所受是極이니라

선생이 가르침을 베풀면 제자는 이를 본받아, 온순하고 공손하며 스스로 겸허謙虛하여 〈전수〉받은 것을 극진極盡히 해야 한다.

- '弟子是則'은 '弟子則是'의 단순도치이다.

篤 도타울 독 ; 독실함　與 줄 여 ; 인정하다　莊 엄숙할 장

#33 A而B

A를 B하다

'서술어+목적어'가 '목적어+而+서술어'의 순으로 도치된 패턴이다.

174 焉有仁人在位하여 罔民을 而可爲也리오 ≪孟子≫

焉A也 : 어찌 A하겠는가?

175 富而可求也인댄 雖執鞭之士라도 吾亦爲之리라 ≪論語≫

雖A : 비록 A라도

직역 및 해설

○ 焉有仁人在位하여 罔民을 而可爲也리오

어찌 어진 사람이 자리에 있으면서 백성에게 그물질하는 것을 행할 수 있겠는가?

○ 富而可求也인댄 雖執鞭之士라도 吾亦爲之리라

부를 구해도 되는 것이라면 비록 채찍을 잡는 사람〈의 일〉이라도 나 역시 그것을 하겠다.

- '而'는 의미상 '도대체, 만약, 정말' 등과 같이 강조의 의미로 보기도 한다.

• 집편執鞭 : 채찍을 잡고 수레를 몲. 곧 비천한 일.

※ 참고 A哉B(也) A矣B A乎B

A하구나! B여

감탄의 패턴(#75)도 도치에 해당되는 패턴이다.

• 林放이 問禮之本한대 子曰 大哉라 問이여

임방이 예의 근본根本을 묻자, 공자가 말하였다. "훌륭하구나! 질문이여."

焉 어찌 언　罔(≒網) 그물질할 망

'而'의 쓰임			
접속	A而B	A하여 B하다 A이나/하나 B이다/하다	#4
접속	非徒A 而又B	단지 A일/할 뿐만 아니라 또 B이다/하다.	#7
도치	A而B	A를 B하다	#33
시간	A而	A 때에	#26
가정	A而B	A하면 B하다	#68
	而	너〔爾〕	-

연습문제

▧ **패턴 및 한자에 유의하면서 다음 문장을 풀이하시오.** (정답은 부록 참조)

92_ 天下之尊에 莫我若也라하고 遂婚於野鼠라 ≪旬五志≫

93_ 子曰 君子는 病無能焉이요 不病人之不己知也니라 ≪論語≫

94_ 不偏之謂中이요 不易之謂庸이라 ≪中庸章句≫

95_ 然則一羽之不擧는 爲不用力焉이며 輿薪之不見은 爲不用明焉이며 百姓之不見保는 爲不用恩焉이라 ≪孟子≫

96_ 尺壁非寶요 寸陰是競하라 ≪千字文≫

IV. 문장 유형별 패턴 1

29개 패턴으로 익히는 주요 표현 학습

'문장 유형별 패턴'은 한문에서 가장 많이 쓰는 문장 구조를 연구 분석하여 독해에 꼭 필요한 주요 패턴들을 문장의 유형별로 나누어 구성한 것이다.

'문장 유형별 패턴 1'에서는 먼저 자주 접하는 가능可能, 부정否定, 금지禁止, 의문疑問·반어反語, 비교比較, 선택選擇의 패턴 27개에 2개를 추가하여 총 29개의 패턴을 제시하였다. 문장에서 많이 쓰는 패턴을 확실히 익힌다면 단어만 바꿔 표현된 다른 여러 문장들을 한번에 익힐 수 있을 것이다.

1. 가능의 패턴
可 能

할 수 있다, 할 수 없다

'可, 能, 得, 足'은 대개 '~할 수 있다'로 풀이하며, 앞에 부정을 뜻하는 한자가 결합되면 '~할 수 없다'로 풀이한다. 또 뒤에 '以'가 붙는 경우가 많다. ('以'는 'A以B'(*#12*) 등을 참조)

가능 및 불가능의 패턴		
可(以/得而)A 能(以)A 得(以)A	(그로써) A할 수 있다	*#34*
不可(以/得而)A 不能(以)A 不得(以)A	(그로써) A할 수 없다	*#34*
足(以)A	(그로써) A할 수 있다 A 하기에 충분하다	*#35*
不足(以)A	(그로써) A할 수 없다 A하기에 충분하지 않다	*#35*

- 여기서 '以'는 앞의 사실이나 내용을 뜻하며 의역에서는 주로 생략하여 풀이하나, 문장을 익히기 위해서 직역할 때는 가급적 한 글자씩 풀이해보는 것이 좋다. 드물게 이와 상관없이 습관적으로 쓰이는 경우도 있다.

CV175248

#34 (不)可(以)A (不)能(以)A (不)得(以)A

~할 수 있다 ; ~할 수 없다

176 君子終其身토록 不可一日而廢者는 其惟讀書乎인저 ≪燕巖集≫

其惟A乎 : 아마 오직 A뿐일 것이다

177 爲長者折枝를 語人曰我不能이라하면 是는 不爲也언정 非不能也라 ≪孟子≫

語A 曰B : A에게 B라고 말하다

A也 非B也 : A이지 B가 아니다

178 子曰 忠矣니라

曰 仁矣乎잇가

曰 未知로라 焉得仁이리오 ≪論語≫

A矣乎 : A한가?

焉A : 어찌 A하겠는가?

179 魚도 我所欲也며 熊掌도 亦我所欲也언마는 二者를 不可得兼인댄 舍魚而取熊掌者也로리라 ≪孟子≫

折 꺾을 절 焉 어찌 언 掌 손바닥 장;발바닥 舍(≒捨) 버릴 사

직역 및 해설

○ **君子終其身**토록 **不可一日而廢者**는 **其惟讀書乎**인저

군자가 제 몸을 다하도록 하루도 그만둘 수 없는 것은 아마도 오직 독서뿐일 것이다!

• 절지折枝: 나뭇가지를 꺾음. 쉽게 할 수 있는 일을 비유함. 혹은 안마按摩, 허리를 굽히는 것이라고 함.

○ **爲長者折枝**를 **語人曰我不能**이라하면 **是**는 **不爲也**언정 **非不能也**라

어른〔長者〕을 위하여 나뭇가지를 꺾는 것〔折枝〕을 사람들에게 일러 말하길 '나는 할 수 없다'고 한다면, 이것은 하지 않는 것이지, 할 수 없는 것이 아니다.

○ **子曰 忠矣**니라 **曰 仁矣乎**잇가 **曰 未知**로라 **焉得仁**이리오

공자가 말하였다. "충성스럽다."
〈자장이〉 말하였다. "인仁한 것입니까?"
〈공자가〉 말하였다. "알지 못하겠구나. 어찌 인仁이라고 할 수 있겠느냐."

○ **魚**도 **我所欲也**며 **熊掌**도 **亦我所欲也**언마는 **二者**를 **不可得兼**인댄 **舍魚而取熊掌者也**로리라

물고기도 내가 원하는 바이고, 곰 발바닥 또한 내가 원하는 바지만, 둘을 겸하여 얻을 수 없다면, 물고기를 버리고 곰 발바닥〔熊掌〕을 취할 것이다.

'可得'의 풀이

不可得兼은 '可'와 '得'이 함께 사용된 경우이다. '可'와 '得'이 같이 쓰여 강조로 보기도 하나 得을 '얻어'로 풀이하는 것이 자연스러운 경우도 있다.

#35 足(以)A 不足(以)A

~할 수 있다 ; ~할 수 없다

180 吾力足以擧百鈞이로되 而不足以擧一羽하며
明足以察秋毫之末이로되 而不見輿薪이라 ≪孟子≫

181 王由足用爲善하시리니
王如用予시면 則豈徒齊民安이리오 ≪孟子≫

如A則 : 만약 A하면
豈徒A : 어찌 다만 A겠는가?

직역 및 해설

○ 吾力足以擧百鈞이로되 而不足以擧一羽하며 明足以察秋毫之末이로되 而不見輿薪이라

내 힘은 백 균(3천 근)을 들 수 있지만, 하나의 깃털을 들 수 없고, 시력視力은 가을 털의 끝을 살필 수 있지만, 수레의 땔감을 보지 못한다.

○ 王由足用爲善하시리니 王如用予시면 則豈徒齊民安이리오

• 足用 = 足以

왕은 오히려 그로써 선을 행할 수 있으니, 왕이 만약 나를 등용登用한다면, 어찌 다만 제나라 백성만 편안便安하겠는가?

'可, 能, 可得, 足'의 구조

A 不/非/無/未 可/能/(可)得/足 (以/而) B

A 는/를/로써 B 할 수 있다/없다

鈞 무거울 균;서른 근 羽 깃 우 毫 터럭 호 輿 수레 여 薪 땔나무 신
由(≒猶) 오히려 유 予 나 여 豈 어찌 기 齊 가지런할 제;제나라

할 수 있다? '可, 能, 得'

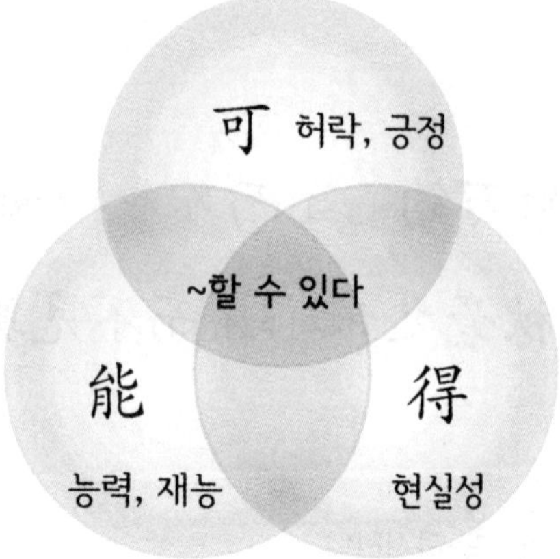

可 어떤 일을 할 수 있는 허락이나 긍정, 적합을 뜻함.

能 '~할 수 있다', '충분히 ~할 수 있다'는 뜻. 명사로 '능력', '재능' 등을 뜻함.

得 행위 실현의 가능성을 뜻함. '能'과 '可'의 중간에 해당하며 객관적인 조건의 제한, 또는 주관적인 염원의 가능성을 뜻함.

연습문제

패턴 및 한자에 유의하면서 다음 문장을 풀이하시오. (정답은 부록 참조)

97_ 豈可是己而非人이리요 ≪退溪先生言行錄≫

98_ 貧賤之交는 不可忘이니라 ≪蒙求≫

99_ 固不可求之於外面이라 ≪啓蒙篇≫

100_ 眸子不能掩其惡 ≪孟子≫

101_ 言不得不簡이라 ≪擊蒙要訣≫

102_ 仰不足以事父母하며 俯不足以畜妻子라 ≪孟子≫

103_ 趙孟之所貴를 趙孟이 能賤之니라 ≪孟子≫

2. 부정의 패턴
否定

않다, 못하다, 없다

부정이란 '不·未·非·弗·無·莫' 등의 부정사를 사용하여 어떤 사실이나 상황을 부정하는 문장 형식을 말한다.

단순히 부정을 뜻하는 경우[단순 부정], 부정사가 겹쳐 사용되어 강한 긍정을 뜻하는 경우[이중 부정], 한정부사와 함께 쓰여 부분 부정하는 경우[부분 부정], 한정부사와 함께 쓰여 완전히 부정하는 경우[완전 부정]가 있다.

부정의 패턴

단순 부정	不/未/非/弗/無/莫 A	A 아니다/않다/없다	#36
이중 부정	無不/無非/未(嘗)不/莫不/莫非/非不 A	A 아님이 없다 A하지 않을 수 없다	#37
부분 부정	不常/不必/未必/不甚 A	항상 A는 아니다 반드시 A는 아니다	#38
완전 부정	必無/必不/絶無/常不 A	반드시/항상 A가 아니다/없다 전혀/절대 A가 아니다/없다	#39

CV15593 

#36 不A 未A 非A 無A

A 않다 ; A 없다 ; A 못하다 ; A 아니다

'단순 부정'으로 부정문의 기본 패턴이다. 대개 '不, 未, 非, 弗, 無, 莫' 등이 사용된다.

182 知彼知己면 百戰不殆라 ≪孫子≫

183 黃金千兩이 未爲貴요 得人一語가 勝千金이니라 ≪明心寶鑑≫

184 君子之學은 非爲通也라 ≪荀子≫

A惟B : A는 B이다

185 吾家無寶物이요 寶物惟淸白이라 ≪訥隱集≫

직역 및 해설

○ 知彼知己면 百戰不殆라

저(적敵)를 알고 나를 알면, 백 번 싸워도 위태危殆롭지 않다.

○ 黃金千兩이 未爲貴요 得人一語가 勝千金이니라

황금 천 냥이 귀하지 않고, 남에게 얻은 한 마디 말이 천금보다 낫다.

○ 君子之學은 非爲通也라

군자의 학문은 형통亨通하기 위한 것이 아니다.

* 형통亨通 : 모든 일이 뜻대로 됨.

○ 吾家無寶物이요 寶物惟淸白이라

우리 집에는 보배로운 물건이 없다네. 보배로운 물건은 청렴결백함이라 하네.

殆 위태로울 **태**　勝 이길 **승**;낫다　兩 두 **량**;돈의 단위　爲 할 **위**

#37 無不A 莫不A 莫非A

A 아님이 없다 ; A 않을 수 없다 ; A하지 않은 적이 없다

부정사가 중복된 '이중 부정'으로 '강한 긍정'을 뜻하는 패턴이다. '無不, 無非, 莫不, 莫非, 非不' 등이 사용되며, '항상, 모두, 반드시'의 의미를 가진다.

186 吾矛之利는 於物에 無不陷也로다 ≪韓非子≫

187 君仁이면 莫不仁이요 君義면 莫不義니라 ≪孟子≫

188 能孝能悌가 莫非師恩이라 ≪四字小學≫

能A : A할 수 있다

직역 및 해설

○ 吾矛之利는/於物에/無/不陷/也로다

내 창의 날카로움은 물건 중에 뚫지 못함이 없다.

○ 君/仁이면//莫/不仁이요//君/義면//莫/不義니라

임금이 어질면[仁] 어질지 않은 자가 없고, 임금이 의로우면[義] 의롭지 않은 자가 없다.

○ 能孝能悌가 莫非師恩이라

효도할 수 있고 공경할 수 있는 것이 스승의 은혜가 아님이 없다.

矛 창 모 利 이로울 리;날카롭다 陷 뚫을 함 悌 : 공경할 제

#37-1 無A不B 無A而不B 未A不B

어떤/어느 A이건 B하지 않음이 없다 ; A마다 B하지 않음이 없다

앞의 #37에서 확장된 패턴으로, 부정을 뜻하는 한자 사이에 '강한 긍정의 범위 및 대상을 가리키는 한자'가 추가된 패턴이다. '無A不B, 無A而不B, 無A無B, 亡A亡B' 등의 형태로 A를 먼저 풀이한다. 가정의 패턴(#69)과는 구별하여야 한다.

189 以保富貴之心으로 奉君이면 則無往不忠이라 ≪明心寶鑑≫

190 小人이 閒居에 爲不善호되 無所不至라 ≪大學≫

以A爲B : A를 B로 여기다

191 二三子는 以我爲隱乎아 吾無隱乎爾로라
吾無行而不與二三子者 是丘也니라 ≪論語≫

A之B也 : A가 B하다

192 儀封人이 請見曰
君子之至於斯也에 吾未嘗不得見也로라 ≪論語≫

閒 한가할 한 隱 숨을 은;숨기다 與 줄 여;보여주다 儀 거동 의 封 봉할 봉
嘗 맛볼 상;일찌기

직역 및 해설

○ **以保富貴之心**으로 **奉君**이면 **則無往不忠**이요

부귀를 보전하는 마음으로 임금을 받들면 가는 곳마다 충성하지 않음이 없을 것이다.

○ **小人**이 **閒居**에 **爲不善**호되 **無所不至**라

소인은 홀로 거처할 때에 불선不善을 행하되, 무슨 일에든 이르지 않음이 없다.

○ 二三子는 **以我爲隱乎**아 **吾無隱乎爾**로라 **吾無行而不與二三子者 是丘也**니라

그대들은 나를 숨긴다고 여기는가? 나는 그대들에게 숨기는 것이 없다. 무슨 행동이건 그대들에게 보여주지 않은 것이 없는 자가 바로〔是〕 나〔丘〕이다.

- 구丘 : 공자의 이름.

○ **儀封人**이 **請見曰 君子之至於斯也**에 **吾未嘗不得見也**로라

의儀 땅의 봉인封人이 뵙기를 청하여 말하였다. "군자가 여기에 이르렀을 때, 내가 일찍이 뵐 수 없던 적이 없었다."

- '君子之至於斯也'는 'A之於B也'(#10)와 달리 서술어가 구체화된 형태이다.

- 봉인封人 : 변경邊境을 지키던 벼슬.

#38 不常A 不必A 未必A

항상/반드시 A한 것은 아니다

부정사가 한정을 뜻하는 부사와 함께 쓰인 '부분 부정'의 패턴이다. 不常, 不必, 未必, 不甚' 등이 있다.

193 千里馬常有로되 而伯樂不常有라 ≪古文眞寶≫

194 有德者는 必有言이어니와 有言者는 不必有德이니라 ≪論語≫

A以B : A해서 B하다

195 積金以遺子孫이라도 未必子孫이 能盡守라 ≪明心寶鑑≫

직역 및 해설

- 천리마千里馬 : 하루에 천 리를 달릴 수 있는 빠른 말. 재능이 뛰어난 사람을 비유.
- 백락伯樂 : 춘추시대 진秦나라 목공穆公 때 사람. 말[馬]의 상相을 잘 봄.

○ 千里馬常有로되 而伯樂不常有라

천리마는 항상 있으나, 백락이 항상 있는 것은 아니다.

○ 有德者는 必有言이어니와 有言者는 不必有德이니라

덕이 있는 사람은 반드시 〈훌륭한〉 말이 있지만, 말이 있는 사람이 반드시 덕이 있는 것은 아니다.

○ 積金以遺子孫이라도 未必子孫이 能盡守라 (7 1 2 3 6 4 5)

금을 모아서 자손에게 남기더라도, 반드시 자손이 다 지킬 수 있는 것은 아니다.

'未'의 특징

'未'는 '不, 無, 非, 莫' 등과 달리 시간이나 경험의 의미가 담겨 있어, '여태껏/아직까지 ~않았다/못했다'의 의미로 쓰인다. 뒤에 '嘗'과 자주 호응한다.

伯 맏 백 積 쌓을 적

#39 必無A 絶無A 常不A 必不A

반드시 A가 아니다/않다/없다 ; 전혀 A가 아니다/않다/없다

한정의 부사 뒤에 부정사가 쓰인 '완전 부정'을 뜻하는 패턴이다. '必無, 絶無, 常不, 必不' 등이 있다.

196 待有餘而後濟人이면 必無濟人之日이요
待有暇而後讀書면 必無讀書之時라 ≪與猶堂全書≫

197 家貧市遠하여 絶無兼味라
惟淡泊하니 是愧耳라 ≪太平閑話滑稽傳≫

惟A耳 : 오직 A할 뿐이다

198 兒曹出千言엔 君聽常不厭하고
父母一開口엔 便道多閑管이라 ≪明心寶鑑≫

A便B : A하면 바로 B하다

직역 및 해설

○ 待/有餘//而後/濟/人이면//必無/濟人之日이요 待/有暇//而後/讀/書면//必無/讀書之時라

여유餘裕가 있기를 기다린 뒤에 사람을 구제救濟한다면 반드시 사람을 구제할 날이 없을 것이다. 틈이 있기를 기다린 뒤에 책冊을 읽는다면 반드시 책을 읽을 날이 없을 것이다.

○ 家貧市遠하여 絶無兼味라 惟淡泊하니 是愧耳라하다

집이 가난하고 시장이 멀어 맛있는 음식이 전혀 없다. 오직 담박한 음식뿐이니 이것이 부끄러울 뿐이다.

- '淡泊是愧'의 풀이는 'A를 B하다(#32)'의 패턴으로 풀이할 수도 있음.

• 겸미兼味 : 맛있는 음식.

濟 건널 **제**;구제하다 暇 겨를 **가** 兼 겸할 **겸** 曹 무리 **조**;~들
閑(≒閒) 한가할 **한**;쓸데 없다

• 한관閑管(≒開管) : 쓸데없는 참견.

○ **兒曹出千言**엔 **君聽常不厭**하고 **父母一開口**엔 **便道多閑管**이라

아이들이 천 마디 말을 해도 그대는 듣고서 늘 싫증내지 않으면서, 부모가 〈그대에게〉 한 번만 입을 열면 바로 쓸데없이 참견이 많다고 말한다.

차계기환借鷄騎還

김 선생이 어느 날 친구親舊의 집을 방문했다. 친구가 그를 반겨 맞으며 술을 대접待接하는데 술상의 안주가 빈약하였다. 친구親舊가 겉치레 인사로, "형편이 어려워 대접待接이 이러하니 미안하네."라고 말하는데, 마침 뜰을 보니 여러 마리의 닭이 모여 여기저기 모이를 쪼고 있었다.

그 모습을 보다 말고 김 선생은 헛기침을 하며 이렇게 말했다. "대장부大丈夫가 어찌 천금을 아끼겠는가? 내 말을 잡아서 술안주로 하세." 그러자 그 친구가, "말을 잡으면 무엇을 타고 돌아간단 말인가?"라고 하자, "그야 닭을 빌려 타고 돌아가면〔借鷄騎還〕 되지 않겠나."

이 소리를 들은 친구는 크게 웃으며 곧 뜰에 있는 닭을 잡아 대접했다고 한다.

≪太平閑話滑稽傳≫

알아두기

▧ **양쯔강〔江〕과 황허〔河〕**

'양쯔강'의 본래 명칭은 '창장〔長江〕'으로, 중국 대륙 중앙부를 횡단하는 중국 제일의 긴 강이다. '황허〔黃河〕'는 고대 문명의 발상지 가운데 하나로, 토사가 섞여 물빛이 황토색이다.

연습문제

▧ **패턴 및 한자에 유의하면서 다음 문장을 풀이하시오.** (정답은 부록 참조)

104_ 天不生無祿之人이라 ≪明心寶鑑≫

105_ 才或不足은 非所患也라 ≪鶴峯集≫

106_ 及其長也하여는 無不知敬其兄也라 ≪孟子≫

107_ 日月逝矣라 歲不我延이니 嗚呼老矣라 ≪明心寶鑑≫

3. 금지의 패턴
禁 止

~하지 마라, ~안 된다

금지의 한자를 사용하여 금지를 뜻하는 패턴이다.

금지사로는 대표적인 것이 '勿, 毋'이며, 통용되는 글자로는 '無, 莫, 不, 未, 不可' 등이 있다. 금지사는 뒤의 서술어를 금지의 뜻이 되게 한다.

금지형 문장은 부정문과 혼동하기 쉬우며, 대개 '~마라(말라), ~해서는 안 된다'로 풀이되어 명령의 의미가 있다.

금지의 패턴

패턴	의미	번호
勿A 毋A	A하지 마라 A해서는 안 된다	*#40*
莫A 無A 不A 未A	A하지 마라 A해서는 안 된다	*#41*
不可A	A하지 마라 A해서는 안 된다	*#41-1*

CV15604 

#40 勿A 毋A

A하지 마라 ; A 해서는 안 된다

'~하지 마라'의 한자인 '勿, 毋'가 사용된 기본적인 금지의 패턴이다.

A於B : B에 A하다

199 言勿異於行하고 行勿異於言하라 ≪芝峯集≫

將A : 장차 A하려 하다
以A 而B
: A라 여겨서 B하다

200 漢昭烈이 將終에 勅後主曰 勿以善小而不爲하고 勿以惡小而爲之하라 ≪三國志≫

201 主忠信하며 毋友不如己者요 過則勿憚改니라 ≪論語≫

직역 및 해설

- 한 소열漢昭烈 : 촉한蜀漢의 유비劉備를 말함. 소열제昭烈帝는 묘호廟號.
- 후주後主 : 뒤를 이은 임금. 여기서는 유비劉備의 아들 유선劉禪.

한 소열漢昭烈

○ 言勿異於行하고 行勿異於言하라

말은 행동과 다르게 하지 말고, 행동은 말과 다르게 하지 말라.

○ 漢昭烈이 將終에 勅後主曰 勿以善小而不爲하고 勿以惡小而爲之하라

한나라 소열황제가 장차 죽으려 할 때, 후주에게 경계하여 말했다. "선이 작다 여겨 〈그 일을〉 해서는 안 되고, 악이 작다여겨 그 일을 해서는 안 된다."

- 여기의 '以A而B'는 '以爲A而B'에서 '爲'가 생략된 형태로 이해할 수 있다.

○ 主忠信하며 毋友不如己者요 過則勿憚改니라

충과 신을 주로 하며, 자기만 못한 사람을 벗 삼지 말며, 잘못하면 고치기를 꺼리지 말라.

悔 뉘우칠 회　昭 밝을 소　勅 신칙할 칙; 경계하다　毋 말 무　憚 꺼릴 탄

#41 莫A 無A 不A

A하지 마라 ; A 해서는 안 된다

'없다〔莫·無〕, 아니다〔不〕'의 기본 뜻을 가진 부정사가 금지의 의미로 사용된 패턴이다.

202 疑人莫用하고 用人勿疑니라 ≪明心寶鑑≫

勿A : A하지 마라

203 無道人之短이요 無說己之長이라 ≪芝峯集≫

204 耳不聞人之非하고 目不視人之短하고 口不言人之過라야 庶幾君子니라 ≪明心寶鑑≫

庶幾A : 거의 A일 것이다, A에 가깝다

직역 및 해설

○ 疑/人//莫/用하고//用/人//勿/疑니라

사람을 의심疑心하거든 쓰지 말고, 사람을 쓰거든 의심하지 말라.

○ 無道/人之短이요//無說/己之長이라

남의 단점短點은 말하지 말고, 나의 장점長點은 말하지 말라.

○ 耳不聞人之非하고 目不視人之短하고 口不言人之過라야 庶幾君子니라

귀로는 남의 나쁜 점을 듣지 말고, 눈으로는 남의 단점을 보지 말고, 입으로는 남의 허물을 말하지 말아야 거의 군자에 가까울 것이다.

疑 의심할 의　人 사람 인 ; 남, 다른 사람　說 말씀 설　庶 거의 서

#41-1 不可A

A하지 마라 ; A해서는 안 된다

不可는 본래 '~할 수 없다'의 부정의 의미로 쓰이지만, '~하지 마라, ~해서는 안 된다'는 금지의 의미로도 종종 쓰인다. 이와 반대로 '可A'는 'A해도 좋다/A하라'는 허용/명령의 의미로 쓰인다.

若A : 만약 A라도

205 家若貧이라도 不可因貧而廢學이요
家若富라도 不可恃富而怠學이라 ≪明心寶鑑≫

직역 및 해설

○ **家若貧**이라도 **不可因貧而廢學**이요 **家若富**라도 **不可恃富而怠學**이라

집이 만약 가난하더라도 가난 때문에 배우는 것을 버려서는 안 되며, 집이 만약 부유하더라도 부유함을 믿고 학문을 게을리해서는 안 된다.

廢 폐할 **폐** 因 인할 **인**;~때문에 恃 믿을 **시** 怠 게으를 **태**

한자 넌센스

고종의 꿈에 나타난 '田'의 의미는?

고종이 꿈에 '田'자가 나타나는 꿈을 꾸었다. 이에 "내가 간밤에 꿈을 꾸었는데 '田'자가 보이더라, 좋은 꿈이냐 나쁜 꿈이냐?"라고 물었다. 모든 신하들이 다 아뢰기를 "'田'자가 반듯하니 좋은 꿈입니다."라고 하자, 면암 최익현 선생이 한숨을 쉬고 탄식을 하며 다음과 같이 아뢰었다. "불길한 꿈입니다, 해몽을 하겠습니다."

- **魚失頭尾**하니 **机上之肉**이라 **甲字無足**하니 **勇兵無日**이라
  十字四圍하니 **衆口難防**이라 **左日右日**하니 **二君之象**이라

"물고기가 머리와 꼬리를 잃었으니 밥상 위의 고기이다. '甲'자가 다리가 없으니 날랜 병사를 쓸 날이 없다. '十'자의 사방을 에워싸니 여러 입을 막기가 어렵다. 왼쪽도 해요 오른쪽도 해니 두 임금의 모습이다."

연습문제

패턴 및 한자에 유의하면서 다음 문장을 풀이하시오. (정답은 부록 참조)

108_ 讐怨을 莫結하라 ≪明心寶鑑≫

109_ 勿以貴己而賤人하라 ≪明心寶鑑≫

110_ 善事는 須貪하고 惡事는 莫樂하라 ≪明心寶鑑≫

111_ 無用之辯과 不急之察을 棄而勿治하라 ≪荀子≫

112_ 父母在어시든 不遠遊하며 遊必有方이니라 ≪論語≫

113_ 施恩이어든 勿求報하고 與人이어든 勿追悔하라 ≪明心寶鑑≫

4. 의문 · 반어의 패턴
疑問 反語

어찌 ~인가? 어찌 ~아닌가?

'의문문'은 말하는 사람이 상대방에게 모르는 것을 질문하여 대답을 요구하는 경우이며, 반어문은 대답이 필요 없이 어떤 상황이나, 사실을 확인 강조하는 경우이다.

'何不, 奚不, 豈不, 曷不, 盍(=何不)'과 같이 '의문 + 부정의 한자'인 경우, '況'과 같이 반어문을 이끄는 한자가 쓰인 경우는 대체로 '반어문'이다.

의문 · 반어의 패턴		
何/奚/焉/惡/胡/豈/曷 A	어찌 A하는가?	#42
A 乎/耶(邪)/哉/與(歟)/也/諸	A인가? A한가?	#43
何/豈/焉 A 乎/哉/也	어찌 A인가? 어떻게 A하는가? 어느 A인가?	#44
孰/誰 A	누가 A하는가? A는 누구인가? 누구를 A하는가?	#45
A 何如/奈何 何如 A 如 A 何	A는 어떠한가? 어찌하여 A하는가? A를 어찌해야 하는가?	#46
何以/何爲/何故/何由 A	무엇 때문에 A하는가? 어찌하면 A하는가?	#47
況 A 乎 況(在)於 A 乎	하물며 A하겠는가? 하물며 A함에 있어서야?	#48
何A之有 何有	어찌 A함이 있겠는가? 무슨 어려움이 있겠는가?	#49
盍A(=何不A)	어찌 A하지 않는가?	#50

CV175258

#42 何(不)A 奚(不)A 焉(不)A

어찌 A하는가/않는가? ; 어찌 A하겠는가/않겠는가?

의문을 뜻하는 대명사(+부정의 한자)가 앞부분에 나오는 패턴이다. '何(不), 奚(不), 焉(不), 惡(不), 胡(不), 豈(不), 曷(不)' 등이 쓰인다.

206 不幸由己하니 何不自反이리오 ≪益齋亂藁≫

207 或謂孔子曰 子는 奚不爲政이시니잇고 ≪論語≫

謂A 曰B : A를 일러 B라 말하다

208 里仁이 爲美하니 擇不處仁이면 焉得知리오 ≪論語≫

得A : A할 수 있다

직역 및 해설

○ 不幸由己하니 何不自反이리오

불행은 자신에게서 말미암으니 어찌 스스로 반성하지 않겠는가?

○ 或謂孔子曰 子는 奚不爲政이시니잇고 (1(5) 4 3 2)

어떤 사람이 공자에게 일러 말하였다. "선생先生은 어찌 정치政治를 하지 않으십니까?"

○ 里仁이 爲美하니 擇不處仁이면 焉得知리오 (1 3 2)

마을〈의 인심人心〉이 어진 것이 아름다우니, 가려서 인仁한 곳에 살지 않는다면 어찌 지혜智慧로울 수 있겠는가?

謂 이를 위 孔 구멍 공 奚 어찌 해 里 마을 리;살다 擇 가릴 택 焉 어찌 언

#43 (不)A乎 (不)A與 (不)A諸

A인가/아닌가? ; A한가/않는가?

문장이나 절의 끝부분에 의문의 어조사가 위치한 패턴으로, 부정을 뜻하는 한자는 앞부분에 나온다. '乎, 耶, 邪, 哉, 與, 歟, 也, 諸' 등이 쓰인다.

與AB : A와 B하다
A與B : A와 B

209 爲人謀而不忠乎아 與朋友交而不信乎아 傳不習乎아 ≪論語≫

210 夫子之不動心과 與告子之不動心을 可得聞與잇가 ≪孟子≫

以AB : A를 B하다

211 堯以天下與舜이라하니 有諸잇가 ≪孟子≫

직역 및 해설

- 부동심不動心 : 마음이 동요하지 않음. 자신의 의지대로 꿋꿋하게 대처해 나감.
- 요堯 : 전설상의 성군聖君인 당요唐堯. 오제五帝의 한 사람. 도당씨陶唐氏.
- 순舜 : 전설상의 성군聖君인 우순虞舜. 오제五帝의 한 사람. 유우씨有虞氏.

○ **爲人謀而不忠乎아 與朋友交而不信乎아 傳不習乎아**

남을 위하여 도모圖謀함에 충성忠誠스럽지 못했는가? 벗과 더불어 사귐에 미덥지 못했는가? 전수傳受 받은 것을 익히지 못했는가?

○ **夫子之不動心과 與告子之不動心을 可得聞與잇가**

선생님의 부동심不動心과 고자告子의 부동심을 들을 수 있습니까?

○ **堯以天下與舜이라하니 有諸잇가**

'요임금이 천하를 순임금에게 주었다.' 하니, 그런 일이 있는가?

'諸'(저)의 쓰임

'諸'는 '之+乎, 之+於'의 두 축약형이 있다. '之+乎'의 형태는 '그것을 ~하는가?'의 뜻이며, '之+於'는 A諸B(=A之於B) 형태로 'B에서 그것을 A하다'의 뜻이다.

謀 꾀 모 ; 도모하다　堯 요임금 요　舜 순임금 순　諸 어조사 저 ; ~인가?

#44 何(不)A乎 豈(不)A哉 焉(不)A哉

어찌 A인가/아닌가?; 어떻게 A하는가/하지 않는가?; 어느 A인가/아닌가?

문장이나 절의 앞에 의문을 뜻하는 대명사가, 끝부분에 어조사가 함께 위치한 패턴이다. 역시 부정의 한자(無, 不, 敢 등)는 의문을 뜻하는 대명사 뒤에 온다.

212 今欲成吾君之志耳어늘 何敢言於君乎아 ≪三國遺事≫

213 堯舜之治天下에 豈無所用其心哉시리오 ≪孟子≫

214 人焉廋哉리오 人焉廋哉리오 ≪論語≫

직역 및 해설

○ 今欲成吾君之志耳어늘 何敢言於君乎아

지금 우리 임금의 뜻을 이루고자 할 뿐인데 어찌 감히 그대에게 말하겠는가?

○ 堯舜之治天下에 豈無所用其心哉시리오 (1 6 5 4 2 3 7)

요임금과 순임금이 천하를 다스림에 어찌 그 마음을 쓰는 바가 없었겠는가?

○ 人焉廋哉리오 人焉廋哉리오 (1 2 3 4)

사람이 어떻게 〈자신을〉 숨기겠는가? 사람이 어떻게 〈자신을〉 숨기겠는가?

요堯

순舜

의문·반어 패턴의 기본 구조

ⓐ 何/豈/奚/焉/惡/胡/安/庸 (不) ⓑ 孰/誰 (不) ⓒ 何以/何故/何爲/何由	A	乎/也/耶/邪/哉/與/歟/諸
ⓐ 왜/어떤/어찌/무엇/누구 ⓑ 누구를/누가 ⓒ 무엇 때문에	A	인가/하는가?(아닌가/않는가?)

豈 어찌 기　哉 어조사 재; ~인가?　廋 숨길 수

#45 孰(不)A 誰(不)A

누가 A 하는가? ; A는 누구인가? ; 누구를 A하는가?

사람에 대한 의문을 뜻하며 문장의 앞부분에 위치한다.

謂A 曰B : A에게 B라 말하다
A與B孰C : A와 B 가운데 어느 것이 더 C한가?

215 子謂子貢曰 女與回也로 孰*愈오하니
對曰 賜也 何敢望回리잇고 ≪論語≫

與AB : A와 B하다

216 王이 往而征之하시면 夫誰*與王敵이리잇고 ≪孟子≫

직역 및 해설

- 자공子貢 : 춘추시대 위衛나라 성은 단목端木. 이름은 사賜. 자공은 자.
- 회回 : 춘추시대 노魯나라 사람. 성은 안顔. 이름은 회回. 자는 자연子淵.

○ 子謂子貢曰 女與回也로 孰愈오하니
對曰 賜也 何敢望回리잇고
공자가 자공에게 일러 말하였다. "너와 안회顔回는 누가 나은가?"
자공이 대답하였다. "제가 어찌 감히 안회를 바라겠습니까?"

○ 王이 往而征之하시면 夫誰與王敵이리잇고 (1 2(6) 4 3 5)
왕이 가서 그것을 바로잡는다면 대저 누가 왕과 대적對敵하겠는가?

貢 바칠 공　孰 누구 숙　愈 나을 유　征 칠 정;바로잡다

#46 A何如 何如A 如A何 A奈何

A는 어떠한가? ; 어찌하여 A하는가? ; A를 어찌해야 하는가?

'何如'의 목적어에 해당하는 말이 앞이나 뒤에 위치한 패턴이고, '如何'에 대명사 '之'가 목적어 대신 들어간 '如之何' 패턴이 있다.

217 子貢曰 貧而無諂하며 富而無驕하면 何如하니잇고 ≪論語≫

218 以殘年餘力으론 曾不能毁山之一毛한대 其如土石何오 ≪列子≫

以AB : A로써 B하다

219 季康子問 使民敬忠以勸호되 如之何잇고 ≪論語≫

使AB : A로 하여금 B하게 하다

A以B : A로써 B하다

220 生曰 工未素學이니 奈何오 ≪燕巖集≫

직역 및 해설

○ 子貢曰 貧而無諂하며 富而無驕하면 何如하니잇고

자공이 말하였다. "가난하면서 아첨阿諂함이 없으며, 부유富有하면서 교만驕慢함이 없으면 어떻습니까?"

○ 以殘年餘力으론/曾/不能毁/山之一毛한대 其如土石何오

남은 목숨과 남은 힘〔餘力〕으로는 일찌기 산의 한 터럭도 허물 수가 없는데, 그 흙과 돌을 어찌 하려는가?"

○ 季康子問 使民敬忠以勸호되 如之何잇고

계강자가 물었다. "백성들로 하여금 공경恭敬과 충성으로 권면勸勉케 하되 그것을 어찌 해야 하는가?"

• 계강자季康子 : 춘추시대 노魯 대부大夫 계씨季氏. 강康은 시호.

○ 生曰 工未素學이니 奈何오

허생許生이 말했다. "기술은 평소에 배우지 않았으니 어찌하겠는가?"

• 허생許生 : 연암 박지원이 쓴 ≪허생전≫의 주인공.

諂 아첨할 **첨** 驕 교만할 **교** 殘 죽일 **잔**; 남다 曾 일찍이 **증** 毁 헐 **훼** 奈 어찌 **내**

#47 何以A 何爲A 何故A 何由A

무엇으로써/어떻게 A하는가? ; 어찌하여/무슨 까닭으로 A하는가?

다음은 '何'와 주로 호응하며 '도구, 행위, 까닭' 등을 묻는 패턴이다. 의문의 허사가 오는 경우도 있다.

221 不敬이면 何以別乎리오 ≪論語≫

222 哀公이 問曰 何爲則民服이니잇고 ≪論語≫

A則B : A는 B이다

223 聖人은 何故獨爲聖人이며
我則何故獨爲衆人耶아 ≪擊蒙要訣≫

224 何由로 知吾의 可也잇고 ≪孟子≫

직역 및 해설

○ 不敬이면 何以別乎리오

공경하지 않는다면 무엇으로 구별하겠는가?

○ 哀公이 問曰 何爲則民服이니잇고 (何1(6) 爲2 則3 民4 服5)

애공이 물어 말하였다. "어떻게 하면 백성이 복종服從하는가?"

- 뒤에 '乎, 哉' 등 '허사'가 없는 의문문은 축자역에 '의문사를 2회역'한다.

• 애공哀公 : 춘추시대 노魯나라 임금.

○ 聖人은/何故/獨爲/聖人이며//我則/何故/獨爲衆人/耶아

성인은 무슨 까닭으로 홀로 성인이 되었으며, 나는 무슨 까닭으로 홀로 보통 사람〔衆人〕이 되었는가?

○ 何由로 /知/吾의 可/也잇고 (何1 由2 知5 吾3 可4 也6)

무슨 연유緣由로 내가 할 수 있음을 알았는가?

'惡乎, 惡'

위 패턴과 형태는 비슷하나 주로 '어디에/어디로'의 의미이다.

服 엎드릴 복 耶 어조사 야 ; ~인가? 由 말미암을 유 ; 까닭

#48 況A乎 況於A乎 況在於A乎

하물며 A에서야? ; 하물며 A함에 있어서야?

'況A'는 앞 문장 또는 절의 일반적인 상황과 비교하여 뒤도 당연히 그러할 것이라는 의미로 사용되는데, 대체로 앞의 '猶, 尙(오히려)', '且, 亦, 又(또한)', '已, 旣(이미)', '常(일찍이)' 등과 호응하여 '비교의 패턴'으로로 분류할 수 있으며, 'A도 오히려 B한데 하물며 C는?(A猶B 況C乎)'의 형태로 풀이한다. 문장 구조상 점층법에 해당한다.

225 匹夫도 猶不欲食言이어늘 況至尊乎아 ≪三國史記≫

226 避嫌之事는 賢者且不爲온 況聖人乎아 ≪論語集註≫

227 隣里有急이라도 尙相赴救어든 況在於姑而可委棄乎아 ≪小學≫

A而B : A를 B하다

직역 및 해설

○ 匹夫도 猶不欲食言이어늘 況至尊乎아

필부匹夫도 오히려 식언食言하고자 하지 않거늘, 하물며 지존(임금)에서야! 〈어떠하겠는가?〉

• 필부匹夫 : 신분이 미천한 사람.

○ 避嫌之事는 賢者且不爲온 況聖人乎아

혐의嫌疑를 피하는 일은 현자賢者 또한 하지 않는데, 하물며 성인聖人에서야!

○ 隣里有急이라도 尙相赴救어늘 況在於姑而可委棄乎아

이웃 마을에 위급危急한 일이 있어도 오히려 서로 달려가 구제救濟하는데, 하물며 시어머니에 있어서 버릴 수 있겠는가?

- '시어머니를〔而〕 버릴 수 있음에 있어서야!'로 풀이할 수도 있다.

況 하물며 **황**　避 피할 **피**　嫌 싫어할 **혐**　隣 이웃 **린**　赴 다다를 **부**　姑 시어미 **고**
委 맡길 **위**　棄 버릴 **기**

#49 何A之有 何有

무슨 A가 있겠는가? 무슨 (어려움이) 있겠는가?

'何有'는 '何難之有'의 줄임말이다.

若A則 : 만약 A하면

228 若口讀而心不體身不行이면 則書自書 我自我니 何益之有리오 ≪擊蒙要訣≫

A也B : A는 B이다/하다

229 賜也는 達하니 於從政乎에 何有리오 ≪論語≫

직역 및 해설

○ **若口讀而心不體身不行**이면 **則書自書 我自我**니 **何益之有**리오

만약 입으로 읽기만 하고 마음으로 체득體得하지 않고 몸으로 실천實踐하지 않으면 책은 따로 책이고, 나는 따로 나일 것이니, 무슨 유익함이 있겠는가?

○ **賜也**는 **達**하니 **於從政乎**에 **何有**리오

자공〔賜〕은 〈사리事理에〉 통달했으니, 정치에 종사하는 데 무슨 어려움이 있겠는가?

아래의 경우에는 이 패턴에 해당되지 않고, 그대로 풀이하는 경우이다.

默而識之하며 學而不厭하며 誨人不倦이 何有於我哉오

묵묵히 그것을 기억하며, 배우되 싫어하지 않으며, 남을 가르침에 게을리하지 않는 것이 어느 것이 나에게 있겠는가?

賜 줄 사

#50 盍A

어찌 A하지 않는가?

'盍A'는 '何不A, 胡不A'와 같다.

230 顔淵季路侍러니 子曰 盍各言爾志오 ≪論語≫

○ 顔淵季路侍러니 子曰 盍/各言/爾志오

직역 및 해설

안연과 계로(자로)가 〈공자를〉 모시는데, 공자가 말하였다. "어찌 각자 너희 뜻을 말하지 않는가?"

• 계로季路: 자로子路.

축자식 직역에서 '2회역'

'何A'는 '何A乎'와 마찬가지로 '어찌 A인가?'로 직역하지만 한 글자씩 축자할 때 '乎'가 없어 '인가?'의 직역에 대응하는 한자가 따로 없으므로 '何'를 2번 짚어가며 직역하여야 한다.

'何A乎'처럼 순차로 풀이하는 것과 '何A'와 같이 2차례 풀이하는 것을 구분하여 짚어가면서 익히다 보면, 각각 낱자의 쓰임과 문장 구조의 차이를 살피는 습관을 가지는 데 도움이 된다.

雖	曰	未	學
①비록 ⑥더라도	⑤말하	②아직 ④않았다	③배우지

여기서 雖는 '비록 ~라도', 未는 '아직 ~않다'로 2차례 직역한다.

주로 '의문·한정·가정'의 문장에서 '허사(乎, 哉, 則 등)가 없을 때'나 부정의 문장에서 '未' 등이 사용된 경우 2차례 풀이한다.

淵 못 연　侍 모실 시　盍(=何不) 어찌 아니할 합　爾 너 이

한자 넌센스

다음에 해당하는 한자는? (정답은 하단에)

선조宣祖가 어느 날 밤에 꿈을 꾸었는데, '어떤 계집아이가 머리 위에 벼 한 단을 이고 남쪽으로부터 달려오더니, 도성都城으로 들이닥쳐 바로 대궐大闕에 불을 질렀다. 이에 대궐이 삽시간에 다 타버리고 성내城內가 불바다로 변하였다.

연습문제

패턴 및 한자에 유의하면서 다음 문장을 풀이하시오. (정답은 부록 참조)

114_ 伯夷叔齊는 何人也잇고 ≪論語≫

115_ 身旣不孝면 子何孝焉이리오 ≪明心寶鑑≫

116_ 如有博施於民而能濟衆혼댄 何如하니잇고 ≪論語≫

117_ 不曰如之何如之何者는 吾末如之何也已矣니라 ≪論語≫

118_ 定公이 問 君使臣하며 臣事君호되 如之何잇고 ≪論語≫

119_ 王欲行之시면 則盍反其本矣니잇고 ≪孟子≫

120_ 學은 在己하고 知不知는 在人하니 何慍之有리오 ≪論語集註≫

121_ 君子居之면 何陋之有리오 ≪論語≫

한자 넌센스 정답

(19) 倭

5. 비교의 패턴
比 較

~와 같다, ~보다 더

어떤 대상이나 내용을 비교하는 문장 패턴이다. 다음과 같은 형태로 나누어 볼 수 있다.

비교의 패턴 일람

A 如/若/猶/似 B	A는 B와 같다.	#51
譬如/譬若 A	비유하면 A와 같다.	#52
A 不如/不若/未若 B	A는 B만 못하다. A보다 B가 낫다.	#53
A 於/于/乎 B	B보다 더 A하다.	#54
莫 A 於 B 莫 A 焉	B보다 더 A한 것은 없다. 그보다 더 A한 것은 없다.	#55
莫若/莫如 A	A만한 것이 없다.	#56

CV15631 

#51 A如B A若B A猶B A似B

A는 B와 같다

'~와 같다'라는 뜻을 갖는 '如, 若, 猶, 似'가 서술어로 쓰인 패턴이다. '대등 비교'라고도 한다.

231 太公曰 人生不學이면 冥冥如夜行이니라 ≪明心寶鑑≫

232 犬之性이 猶牛之性이며 牛之性이 猶人之性與아 ≪孟子≫

233 過去事는 明如鏡이요 未來事는 暗似漆이니라 ≪明心寶鑑≫

직역 및 해설

- 명명冥冥 : 깜깜함. 또는 어두운 모양.
- 태공太公 : 주周나라 사람. 선대先代가 여呂 땅에 봉해져 여상呂尙이라 함.

태공太公

○ 太公曰 人生不學이면 冥冥如夜行이니라

태공이 말하였다. "사람이 태어나서 배우지 않으면 깜깜한 것이 밤에 걷는 것과 같다."

○ 犬之性이 猶牛之性이며 牛之性이 猶人之性與아

개의 성性이 소의 성과 같으며, 소의 성이 사람의 성과 같은가?

○ 過去事는 明如鏡이요 未來事는 暗似漆이니라

지나간[過去] 일은 밝기가 거울과 같고, 오지 않은[未來] 일은 어둡기가 칠흑과 같다.

冥 어두울 **명** 漆 옻 **칠** 譬 비유할 **비** 燒 사를 **소** 救 구원할 **구** 滅 꺼질 **멸**

#52 譬如A 譬若A

비유하면 A와 같다

앞 패턴에 '譬'가 붙어 비유하는 의미가 강조된 패턴이다. '譬'를 '辟'로 쓰기도 한다.

234 譬如火燒空하여 不救自然滅이라 ≪明心寶鑑≫

235 譬如綱擧則目張하고 根培則支達이라 ≪小學集註≫

A則B : A하면 B하다

236 夫賢士之處世也는 譬若錐之處囊中하여 其末立見이라 ≪通鑑節要≫

A之B也 : A가 B하다

직역 및 해설

○ 譬如火燒空하여 不救自然滅이라

비유하면 불이 허공虛空에서 타다가, 끄지 않아도 저절로 꺼지는 것과 같다.

○ 譬如綱擧則目張하고 根培則支達이라

비유하면 벼리[綱]를 들어 올리면 그물눈이 펴지고, 뿌리를 북돋아 주면 가지가 발달發達하는 것과 같다.

○ 夫賢士之處世也는 譬若錐之處囊中하여 其末立見이라

무릇 어진 선비가 세상에 처함은 비유하자면 송곳이 주머니 속에 있어서 그 끝이 바로[立] 드러나는 것과 같소.

• 낭중지추囊中之錐 : 주머니 속의 송곳이라는 뜻으로, 재능이 뛰어난 사람은 숨어 있어도 저절로 사람들에게 알려짐을 이르는 말.

譬 비유할 비 燒 불사를 소 滅 꺼질/멸할 멸 支(≒枝) 가지 지 綱 벼리 강
張 베풀 장 培 북돋울 배 達 통달할 달 錐 송곳 추 囊 주머니 낭 立 곧 립

#53 A不如B A未若B A不若B

A가 B만 같지 않다/못하다

'如', '若'에 부정사가 보태져 'A不如B', 'A未若B', 'A不若B'의 형태로 '열등 비교'라고도 한다.

A之B也 : A가 B하다

237 善政이 不如善教之得民也니라 ≪孟子≫

238 可也나 未若貧而樂하며 富而好禮者也니라 ≪論語≫

A則B : A이면 B이다
A之謂B : A를 B라 이르다

239 指不若人이면 則知惡之호되 心不若人이면 則不知惡하나니 此之謂不知類也니라 ≪孟子≫

직역 및 해설

○ 善政이 不如善教之得民也니라

선한 정치는 선한 가르침이 민심民心을 얻는 것만 못하다.

• '可'는 '괜찮다'의 의미

○ 可也나 未若貧而樂하며 富而好禮者也니라 (10 9 1 2 3 / 4 5 7 6 8 11)

괜찮으나, 가난하면서 즐거워하며 부유富裕하면서 예를 좋아하는 것만 못하다.

- 'A未若B' 패턴에서 A가 앞문장의 내용을 가리켜 생략된 경우임.

○ 指不若人이면 則知惡之호되 心不若人이면 則不知惡하나니 此之謂不知類也니라

손가락이 남과 같지 않으면 그것을 싫어할 줄 알면서도 마음이 남과 같지 않으면 싫어할 줄 알지 못하니, 이것을 〈경중의〉 등급等級을 알지 못한다 이른다.

- 指/不若/人//則/知/惡之//心/不若/人//則/不知/惡

謂 이를 위 類 무리 류;등급

#54 A於B A于B A乎B

B보다 더 A하다

'~보다 더'의 의미로 '於', '于', '乎'를 사용한다. '우등 비교'라고도 한다.

240 王如知此시면 則無望民之多於鄰國也하소서 ≪孟子≫

如A則 : 만약 A하면
無A : A하지 마라

241 曾子曰 脅肩諂笑이 病于夏畦라 ≪孟子≫

242 飽食終日하여 無所用心이면 難矣哉라 不有博奕者乎아 爲之猶賢乎已니라 ≪論語≫

A矣哉 : A하구나!
不A乎 : A하지 않은가?

직역 및 해설

○ 王如知此시면 則無望民之多於鄰國也하소서 (8 7 1 2 6 5 3 4 9)

왕이 만일 이것을 안다면 백성들이 이웃 나라보다 많아지기를 바라지 말라.

○ 曾子曰 脅肩諂笑이 病于夏畦라

증자曾子가 말하였다. "어깨를 움츠리고 아첨하며 웃는 것이 여름날 밭농사보다 수고롭다."

• 증자曾子 : 춘추시대 노魯나라 사람. 공자孔子의 제자.

○ 飽食終日하여 無所用心이면 難矣哉라 不有博奕者乎아 爲之猶賢乎已니라

배불리 먹고 하루를 마쳐서 마음을 쓰는 것이 없다면 곤란하다. 장기와 바둑이란 것이 있지 않은가? 그것을 하는 것이 오히려 그만두는 것보다 낫다.

鄰 이웃 린　脅(≒翕) 움추릴 협　諂 아첨할 첨　病 병 병 ; 수고롭다
諸 어조사 저 ; 아마

#55 莫A於B 莫A乎B 無A於B 莫A焉

B보다 A한 것은 없다 ; 이보다 A한 것은 없다

여럿 가운데 가장 낫다(좋다)는 것을 뜻하는 패턴이다. 於B가 '焉'으로 축약되면서 '莫A焉'이 되어 '이보다 A한 것은 없다'의 경우도 많다.

243 養心이 莫善於寡欲이라 ≪孟子≫

244 莫見乎隱이며 莫顯乎微니
故로 君子는 愼其獨也니라 ≪中庸≫

A則B : A이면 B이다

245 以利言之면 則人之所欲이 無甚於生하고
所惡 無甚於死라 ≪論語集註≫

246 晉國이 天下에 莫强焉은 叟之所知也라 ≪孟子≫

寡 적을 과　見(≒現) 드러날 현　隱 숨을 은　顯 드러날 현　微 작을 미　愼 삼갈 신

직역 및 해설

○ 養心이/莫/善/於寡欲이라

마음을 수양修養하는 것이 욕심欲心을 적게 하는 것보다 더 좋은 것이 없다.

- 養心(주) 莫(술) 善(보) 於寡欲(보)

○ 莫見乎隱이며 莫顯乎微니 故로 君子는/愼/其獨/也니라

숨겨진 것보다 드러남이 없으며, 작은 것보다 나타남이 없다. 그러므로 군자는 그 홀로 있음을 삼간다(愼獨).

• 신독愼獨 : 홀로 있을 때에 신중함.

○ 以利言之면 則人之所欲이 無甚於生하고 所惡 無甚於死라

이익利益으로 그것을 말하면 사람이 하고자 하는 것이 삶보다 심한 것이 없고 싫어하는 것이 죽음보다 심한 것이 없다.

○ 晉國이 天下에 莫强焉은 叟之所知也라

진晉나라가 천하에서 그보다 강한 나라가 없는 것은 노인장이 아는 바이다.

☞ 진나라가 천하에서 막강莫强한 것은 노인장이 아는 바이다.

- 天下莫强焉의 焉은 於此의 축약형이다. 焉을 단순 종결사로 보면 '천하에 강한 것이 없다'가 된다. 반면 於此의 축약형으로 보면 晉國天下莫强焉이 天下莫强於晉國의 구조가 되어 의미가 적절해진다. 결국 '莫强'은 '더할 수 없이 매우 강하다.'는 의미의 관용적 표현이 되었다.

#56 莫若A 莫如A

A 같은/만한 것은 없다

여럿 중에 가장 나은(좋은)는 것을 뜻하는 패턴이다.

247 治官엔 莫若平이요 臨財엔 莫若廉이니라 ≪明心寶鑑≫

248 曾子曰 朝廷엔 莫如爵이요 鄕黨엔 莫如齒요 輔世長民엔 莫如德이니라 ≪孟子≫

직역 및 해설

○ **治官**엔 **莫若平**이요 **臨財**엔 **莫若廉**이니라

벼슬아치를 다스림에는 공평公平함만 한 것이 없고, 재물財物을 대하는 데는 청렴清廉함만 한 것이 없다.

○ **曾子曰 朝廷**엔 **莫如爵**이요 **鄕黨**엔 **莫如齒**요 **輔世長民**엔 **莫如德**이니라

증자가 말하였다. "조정엔 벼슬만 한 것이 없고, 향당엔 나이만 한 것이 없고, 세상을 돕고 백성百姓을 기르는데 덕만 한 것이 없다."

• 향당鄕黨 : 주대周代의 행정 구역 제도. 향鄕은 12,500호戶, 당黨은 500호. 고향이나 시골을 이른다.

삼달존三達尊

존귀尊貴한 세 가지. 조정에서는 작위爵位를 숭상崇尙하고, 향리鄕里에서는 윗사람을 존경尊敬하며, 세상에 처해서는 덕德을 존중尊重해야 한다는 말.

臨 임할 림 廉 청렴할 렴 爵 벼슬 작 齒 나이 치 輔 도울 보

패턴 및 한자에 유의하면서 다음 문장을 풀이하시오. (정답은 부록 참조)

연습문제

122_ 百聞이 不如一見이라 ≪漢書≫

123_ 人性如水라 ≪明心寶鑑≫

124_ 不義而富且貴는 於我如浮雲이니라 ≪論語≫

125_ 賜子千金이 不如教子一藝니라 ≪明心寶鑑≫

126_ 遠水는 不救近火요 遠親은 不如近隣이니라 ≪明心寶鑑≫

127_ 子曰 知之者 不如好之者요 好之者 不如樂之者니라 ≪論語≫

128_ 至樂은 莫如讀書요 至要는 莫如教子니라 ≪明心寶鑑≫

129_ 入道는 莫先於窮理하고 窮理는 莫先乎讀書라 ≪擊蒙要訣≫

130_ 晉國이 天下에 莫强焉은 叟之所知也라 ≪孟子≫

131_ 人固有一死나 或重於泰山이요 或輕於鴻毛라 ≪文選≫

태산홍모泰山鴻毛

'태산과 기러기 털'. 가볍고 무거움의 차이가 매우 큰 것을 비유하는 고사성어.

중국 한漢나라 때의 역사가 사마천司馬遷이 〈보임소경서報任少卿書〉에서 "사람은 본래 한 번 죽는 것인데, 그 죽음이 혹은 태산처럼 무겁고 혹은 깃털처럼 가벼운 것은 그 지향하는 바가 다르기 때문이다.〔人固有一死, 或重於泰山, 或輕於鴻毛, 用之所趨異也〕"라고 한 글에서 유래하였다.

〈사마천司馬遷〉

6. 선택의 패턴
選 擇

~이 ~보다 낫다/못하다

'선택의 패턴'은 '비교의 패턴'의 범주에 속한다.

'與其A 寧B'가 선택의 패턴 중 기본 패턴으로 '그 A와 함께하는 것으론 차라리 B하겠다'로 직역되나 'A와 함께하기 보다는 차라리 B하는 것이 낫다'로 의역한다.

'寧' 대신에 '不如, 不若, 無寧~乎, 豈若~乎' 등의 변형이 있으며, 그 외에 '~與'를 반복하면서 '抑'을 결합한 선택의 패턴도 있다.

선택의 패턴 일람

與其 A(也) 寧 B	A하기 보다는 차라리 B하겠다	#57
與其 A(也) 不如/不若 B	A하는 것이 B하느니만 못하다.	#58
與其 A(也) 無寧 B 乎/哉	A하기 보다는 차라리 B하지 않겠는가?	#59
與其 A(也) 豈若 B 乎/哉	A하는 것이 어찌 B하는 것과 같겠는가?	#59
A與 (B與) 抑 C與 (D與)	A인가? (B인가?) 아니면 C인가? (D인가?)	#60

CV15647

#57 與其A也 寧B

A하기 보다는 차라리 B하는 것이 낫다

'與其~'에 비교의 대상을 제시한 후, '寧~'에 선호하는 내용을 나타낸 패턴으로, '與其~' 패턴의 기본형이다.

249 禮는 與其奢也론 寧儉이요
喪은 與其易也론 寧戚이니라 ≪論語≫

250 奢則不孫하고 儉則固니
與其不孫也론 寧固니라 ≪論語≫

A則B : A이면 B이다

직역 및 해설

○ 禮는 與其奢也론 寧儉이요 喪은 與其易也론 寧戚이니라

예는 그 사치奢侈하기보다는 차라리 검소儉素하여야 하고, 상은 그 잘 치르기보다는 차라리 슬퍼하는 것이 낫다.

- 禮/與/其奢也//寧/儉

○ 奢則不孫하고 儉則固니 與其不孫也론 寧固니라

사치하면 공손恭遜하지 못하고 검소하면 고루固陋하니, 공손하지 못하기 보다는 차라리 고루한 것이 낫다.

奢 사치할 사 寧 편안할 녕; 차라리 儉 검소할 검 易 다스릴 이
戚(≒慼) 슬플 척 孫 공손 손 固 굳을 고; 고루하다

#58 與其 A(也) 不如/不若 B

A하는 것은 B하느니만 못하다

'寧~' 대신 비교형 '不如~', '不若~'이 사용된 패턴이다.

251 與其生辱으론 不如死快라 ≪三國史記≫

252 凡喪은 與其哀不足而禮有餘也론 不若禮不足而哀有餘也라 ≪擊蒙要訣≫

253 與其病後能服藥으론 不若病前能自防이니라 ≪明心寶鑑≫

직역 및 해설

○ 與/其生辱으론/不如/死快라 (4 / 1 2 3 / 8 7 / 5 6)

그 살아서 치욕恥辱과 함께하는 것은 죽어서 상쾌爽快한 것만 못하다.
→ 살아서 치욕을 당하는 것보다는 죽어서 상쾌한 것이 낫다.

○ 凡喪은 與其哀不足而禮有餘也론 不若禮不足而哀有餘也라

무릇 상喪에는 슬픔이 부족하면서 예가 충분充分한 것이 예가 부족하면서 슬픔이 충분한 것만 못하다.

○ 與其病後能服藥으론 不若病前能自防이니라

병이 난 뒤에 약을 먹을 수 있는 것은 병들기 전에 스스로 예방豫防할 수 있는 것만 못하다.

辱 욕될 욕; 치욕을 당하다

#59 與其A也 無寧B(乎) 與其A也 豈若B(哉)

A하기 보다는 차라리 B하는 것이 낫지 않겠는가? ;
A하는 것이 어찌 B하는 것과 같겠는가?

기본형의 '寧~' 대신에 반어형 '無寧~乎', '豈若~乎'가 사용된 패턴이다.

254 且予與其死於臣之手也론
無寧死於二三子之手乎아 ≪論語≫

255 且而與其從辟人之士也론
豈若從辟世之士哉리오 ≪論語≫

○ 且予與其死於臣之手也론 無寧死於二三子之手乎아

또 내가 가신의 손에서 죽기(장사葬事 지내기)보다는 차라리 자네들 손에서 죽는(장사 지내는) 것이 낫지 않겠는가?

○ 且而與其從辟人之士也론 豈若從辟世之士哉리오

또 그대는 사람을 피하는 선비를 따르는 것이 어찌 세상을 피하는 선비를 따르는 것만 같겠는가?

직역 및 해설

• 이삼자二三子 : 너희들. 그대들.

予 나 여　而(≒爾) 너 이　辟 피할 피　豈 어찌 기

#60 A與 (B與) … 抑 C與 (D與)

A인가? (B인가?) 아니면 C인가? (D인가?)

여러 가지에서 어떤 것을 선택할지 또는 해당하는지를 묻는 패턴이다. '抑'의 앞뒤로 한 개 이상의 의문이 오며, 의문이 아닌 일반적인 서술 문장에서 '抑'은 '그러나'로 풀이한다.

256 南方之强與*아 北方之强與*아
抑*而强與*아 ≪中庸≫

257 子禽이 問於子貢曰
夫子至於是邦也하사 必聞其政하시나니
求之與*아 抑*與之與*아 ≪論語≫

A於B : B에 A하다

직역 및 해설

○ **子曰 南方之强與**아 **北方之强與**아 **抑而强與**아

남방南方의 강함인가? 북방北方의 강함인가? 아니면 너의 강함인가?

• 자금子禽 : 춘추시대 진陳나라 사람. 공자孔子의 제자.

○ **子禽**이 **問於子貢曰 夫子至於是邦也**하사 **必聞其政**하시나니 **求之與**아 **抑與之與**아

자금子禽이 자공子貢에게 물었다. "선생께서 이 나라에 이르러서는 반드시 그 정치를 들으시니, 〈선생께서〉 그것을 구한 것인가? 아니면 〈군주가〉 그것을 주는 것인가?"

抑 아니 억　而(≒爾) 너 이　禽 새 금　貢 바칠 공　邦 나라 방

연습문제

패턴 및 한자에 유의하면서 다음 문장을 풀이하시오. (정답은 부록 참조)

132_ 與其有聚斂之臣으론 寧有盜臣이라 ≪大學≫

133_ 與其媚於奧론 寧媚於竈라하니 何謂也잇고 ≪論語≫

134_ 與其得罪於鄕黨州閭론 寧孰諫이라 ≪小學≫

135_ 爲肥甘이 不足於口與며 輕煖이 不足於體與잇가 抑爲采色이 不足視於目與며 聲音이 不足聽於耳與며 便嬖 不足使令於前與잇가 ≪孟子≫

136_ 仲子所居之室은 伯夷之所築與아 抑亦盜跖之所築與아 所食之粟은 伯夷之所樹與아 抑亦盜跖之所樹與아 ≪孟子≫

V. 문장 유형별 패턴 2

17개 패턴으로 익히는 주요 표현 학습

'문장 유형별 패턴 1'에서는 문장에서 자주 접하는 29개의 패턴을 학습하였다. 이곳에서는 유형별 패턴에서 핵심이라고 할 수 있는 피동被動, 사동使動, 가정假定·조건條件, 한정限定, 감탄感歎의 패턴 17개를 배우게 된다.

이 패턴까지 배우게 되면 문장을 독해하면서 볼 수 있는 핵심적인 패턴은 거의 대부분 익혔다고 볼 수 있다. 완벽하게 자기의 것으로 만들어 활용한다면 문장 독해를 할 수 있는 능력이 완성될 수 있을 것이다.

1. 피동의 패턴
被動

~(바) 되다 ; ~당하다

피동의 패턴은 어떤 사물이 다른 사물에 의해 작동되는 것을 표현한 문장 패턴이다.

'被, 見'이 쓰인 경우, '爲~所, 爲, 所'가 쓰인 경우, '於, 于, 乎'와 같은 전치사가 사용된 경우로 나누어 볼 수 있다.

피동의 패턴 일람

패턴	뜻	번호
被/見 A B	A에게 B하게 되다 A에게 B받다/당하다	#61
爲 A 所 B 爲 A B A 所 B	A에게 B하는 바 되다/당하다 A에 의해 B하는 바 되다	#62
A 於/乎 B	B에게 A한 바 되다 B에게 A당하다	#63

CV15656

#61 被(A)B 見(A)B

(A에게) B하게 되다 ; (A에게) B받다(당하다)

'被, 見'이 사용되어 피동을 의미하는 패턴이다. 대상인 A는 종종 생략된다.

258 我若被*人罵라도 佯聾不分說하라 ≪明心寶鑑≫

若A : 만약 A라도

259 信而見*疑하고 忠而被*謗하니 能無怨乎잇가 ≪史記≫

能A乎 : A할 수 있겠는가?

○ 我若被人罵라도 佯聾不分說하라 (1 2(6) 5 3 4 / 1 2 5 3 4)

내가 만약 남에게 욕설辱說을 듣게 되더라도 거짓으로 귀먹은 체하여 시비是非를 가려 말하지 마라.

– 我[주] 若[부] 被[술] 人[보] 罵[목]라도 佯聾不分說하라

○ 信而見疑하고 忠而被謗하니 能無怨乎잇가

미덥게 하였으나 의심疑心을 받고, 충성하였으나 비방誹謗을 받으니, 원망怨望이 없을 수 있겠는가?

직역 및 해설

• 분설分說 : 하나하나 자세히 설명함. 시비를 가리다. 변명함. 해명함.

被 입을 피; 당하다　罵 꾸짖을 매　佯 거짓 양　聾 귀머거리 롱　疑 의심할 의
謗 헐뜯을 방

#62 爲A所B 爲AB A所B

A에게 B하는 바 되다(당하다) ; A에 의해 B하는 바 되다

'爲~所'가 사용되어 피동을 의미하는 패턴이다. '爲'와 '所'가 각각 생략되기도 한다.

A則B : A하면 B하다

260 **先卽制人**하고 **後則爲人所制**니라 ≪史記≫

何爲A : 어찌하여 A하는가?

261 **多多益善**이어늘 **何爲爲我禽**고 ≪史記≫

직역 및 해설

• 卽 ≒ 則

○ **先卽制人**하고 **後則爲人所制**니라 (1 2 6 3 5 4)

먼저 하면 남을 제압制壓하고, 뒤에 하면 남에게 제압당하는 바 된다.

○ **多多益善**이어늘 **何爲爲我禽**고

많으면 많을수록 더욱 좋다고 하면서, 어찌하여 나에게 사로잡혔는가?

- 앞 '爲'는 '위하다' 또는 '때문이다'의 의미이고, 뒤 '爲'는 '~되다'의 의미임.

#63 A於B A乎B

B에게 A한 바 되다 ; B에게 A당하다

262 **勞心者 治人**하고 **勞力者 治於人**이라 ≪孟子≫

직역 및 해설

○ **勞心者/治人**하고//**勞力者/治/於人**이라

마음을 수고롭게 하는 자는 남을 다스리고, 힘을 수고롭게 하는 자는 남에게 다스림을 받는다.

制 제압할 **제** 禽(≒擒)사로잡을 **금**

알아두기

이로운 벗, 해로운 벗

공자는 유익한 벗〔益友〕 세 종류와 해로운 벗〔損友〕 세 종류가 있다고 했다. '정직正直한 벗', '성실誠實한 벗', '견문見聞이 풍부豐富한 벗'은 유익有益한 벗이며, '편벽偏僻된 벗', '부드러운 척하면서도 아첨阿諂하는 벗', '말만 그럴듯하게 둘러대는 벗'은 해로운 벗이다.

연습문제

패턴 및 한자에 유의하면서 다음 문장을 풀이하시오. (정답은 부록 참조)

137_ 今人이 多是被養於父母하고 不能以己力養其父母라 ≪擊蒙要訣≫

138_ 盆成括이 見殺이어늘 門人이 問曰
夫子何以知其將見殺이시니잇고 ≪孟子≫

139_ 人情은 皆爲窘中疎니라 ≪明心寶鑑≫

140_ 大丈夫當容人이언정 無爲人所容이니라 ≪明心寶鑑≫

141_ 若責以理學이면 則曰
我爲科業所累하여 不能用功於實地라 ≪擊蒙要訣≫

142_ 但爲氣稟所拘와 人欲所蔽면 則有時而昏이라 ≪大學章句≫

2. 사동의 패턴
使 動

~하게 하다

사동을 표현하는 패턴은 한 사물이 다른 사물에게 동작을 시키는 것을 표현한 문장 패턴이다.

'使, 教, 令, 俾'가 사용되는 경우, '遣, 命, 勸, 說' 등이 사용되는 경우로 나누어 볼 수 있다. 보통 '~하게 하다'의 형태이다.

사동의 패턴 일람

패턴	의미	
使 (A) B 教 (A) B 令 (A) B 俾 (A) B	(A로 하여금/A에게) B하게 하다	#64
遣 A B 命 A B 勸 A B 說 A B	A에 보내 B하게 하다 A에 명하여 B하게 하다 A에 권하여 B하게 하다 A에 설득하여 B하게 하다	#65

CV15661

#64 使AB 教AB 令AB 俾AB

A로 하여금 B하게 하다 ; A에게 B하게 하다 ; A를 B하게 하다

'使, 教, 令, 俾, 把'가 사용되어 사동을 뜻하는 패턴이다. A가 생략되기도 한다.

263 子使*漆雕開仕하신대
對曰 吾斯之未能信이로소이다 子說하시다 ≪論語≫

A之B : A를 B하다

264 勸君敬奉老人言하고 莫教*乳口爭長短하라 ≪明心寶鑑≫

勸AB
: A에게 B할 것을 권하다

265 賢婦는 令*夫貴요 佞婦는 令*夫賤이니라 ≪明心寶鑑≫

266 述此篇하여 俾*爲師者로 知所以教하며 而弟子로 知所以學하노라 ≪小學≫

所以A : A하는 방법

○ 子使漆雕開로 仕하신대 對曰 吾斯之未能信이로소이다 子說하시다 (吾[1] 斯[2] 之[3] 未[6] 能[5] 信[4])

공자가 칠조개漆雕開에게 벼슬하게 하자, 〈칠조개가〉 대답하여 말하였다. "나는 이 일을 아직 자신自信할 수 없습니다." 공자가 기뻐하였다.

○ 勸君敬奉老人言하고 莫教乳口爭長短하라

그대에게 권하니, 늙은이의 말을 공경恭敬히 받들고, 어린아이의 입으로 하여금 장점長點과 단점短點을 다투게 하지 말라.

○ 賢婦는 令夫貴요 佞婦는 令夫賤이니라

어진 부인은 남편男便으로 하여금 귀하게 하고, 간악奸惡한 부인은 남편으로 하여금 천하게 한다.

○ 述此篇하여 俾爲師者로 知所以教하며 而弟子로 知所以學하노라

이 책을 써서, 스승에게 가르치는 방법(所以)을 알게 하고, 제자〈에게〉 배우는 방법을 알〈게 할 것〉이다.

직역 및 해설

- 칠조개漆雕開 : 춘추시대 채蔡나라 사람. 자는 자약子若.

漆 옻 칠　雕 아로새길 조　斯 이 사　乳 젖 유　佞 아첨할 녕;악하다　賤 천할 천
俾 하여금 비

#65 遣AB 勸AB 命AB 說AB

A를 보내어/명하여/권하여/설득하여 B하게 하다

'遣, 勸, 命, 說' 등 사동을 뜻하는 한자가 사용된 패턴이다.

267 遣*春秋入高句麗하다 ≪三國史記≫

A諸 : A인가?

268 或問曰 勸*齊伐燕이라하니 有諸잇가 ≪孟子≫

269 命*芸館而廣印하고 作序文於卷首하다 ≪童蒙先習≫

將A : 장차 A하겠다

270 我將見楚王하여 說*而罷之호되 ≪孟子≫

직역 및 해설

- 춘추春秋 : 신라 제29대 왕 김춘추.
- 제齊 : 제나라. 춘추오패春秋五霸와 전국칠웅戰國七雄의 하나. 현재의 산둥〔山東〕 지방.
- 연燕 : 연나라. 춘추春秋시대 주의 제후국. 전국칠웅戰國七雄의 하나.
- 운관芸館 : 조선시대 교서관校書館을 달리 이르는 말.

○ **遣春秋入高句麗**하다

김춘추金春秋를 보내 고구려로 들어가게 하였다.

○ **或問曰 勸齊伐燕**이라하니 **有諸**잇가

어떤 사람이 물어 말하였다. "제나라에 권하여 연나라를 정벌征伐하게 하였다니 그런 일이 있습니까?"

- 'A諸'는 'A之乎'의 축약형. '그것을 A하는가?' 또는 '그것이 A한가?' 로 풀이한다.

○ **命芸館而廣印**하고 **作序文於卷首**하노라

교서관〔芸館〕에 명하여 널리 인쇄해서 반포하게 하고, 책머리에 서문을 쓴다.

○ **我將見楚王**하여 **說而罷之**리라

내가 장차 초楚나라 왕을 만나서 설득하여 그 일(전쟁)을 그만두게 하겠다.

遣 보낼 **견**　麗 고울 **려**　齊 가지런할 **제**　燕 제비 **연**　說 달랠 **세**
芸(≒藝) 재주 **운**;글재주　罷 마칠 **파**

패턴 및 한자에 유의하면서 다음 문장을 풀이하시오. (정답은 부록 참조)

연습문제

143_ 使民戰栗이라 ≪論語≫

144_ 由也는 千乘之國에 可使治其賦也어니와 不知其仁也로라 ≪論語≫

145_ 雍也는 可使南面이로다 ≪論語≫

146_ 赤也는 束帶立於朝하여 可使與賓客言也어니와 不知其仁也로라 ≪論語≫

147_ 吾王之好鼓樂이여 夫何使我로 至於此極也오 ≪孟子≫

148_ 姑舍女所學하고 而從我라하시면 則何以異於教玉人彫琢玉哉잇고 ≪孟子≫

149_ 夜則令瞽誦詩하며 道正事하더니라 ≪小學≫

3. 가정 · 조건의 패턴
假定 條件

만약 ~라면/하면

가정·조건의 패턴은 어떤 상황이나 조건을 설정하고 자신의 의지를 밝히거나 혹은 결과를 예상하는 문장 패턴이다. 보통 '만약 ~하면'으로 풀이된다.

문두에 '若, 如' 등의 한자가 사용된 경우, 문장 중간에 '則, 卽, 斯' 등이 사용된 경우, 이 둘이 함께 사용된 경우가 있다.

그밖에 '而'가 사용되거나 부정의 문장이 이어서 연결되는 경우가 있다.

가정·조건의 패턴 일람

若/如/誠/苟/信/雖 A B 假令/假使/設使 A B	만약 A면/하면/라도, B이다/하다	*#66*
A 則/卽/斯 B	A면/하면/라도, B이다/하다	*#67*
A 而 B	A면/하면/라도, B이다/하다	*#68*
無/不/非 A 不/無/勿/非 B	A 아니면/없으면, B 아니다/말라	*#69*

CV15666

#66 若A 如A 苟A 雖A

만약/진실로/가령 A라면/하면 ; 비록 A라도

문두에 '若, 如'(만약 ~라면), '誠, 苟'(진실로 ~라도), '假令, 假使'(가령 ~라면), '果'(과연 ~라면), '雖, 設使'(비록 ~라도) 등을 사용한 패턴이다.

271 若得美味어든 歸獻父母하라 ≪四字小學≫

272 王如好貨어시든 與百姓同之하시면 於王에 何有리잇고 ≪孟子≫

與AB : A와 B하다
於A何有 : A에 무슨 어려움이 있겠는가?

273 丘也幸이로다 苟有過어든 人必知之온여 ≪論語≫

A也B : A가 B하다

274 齊國이 雖褊小나 吾何愛一牛리오 ≪孟子≫

직역 및 해설

○ 若得美味어든 歸獻父母하라

만약 맛있는 음식을 얻으면 돌아가 부모에게 드려라.

○ 王如好貨어시든 百姓同之하시면 於王에 何有리잇고 (1 2(9) 4 3 5 6 8 7)

왕께서 만일 재물財物을 좋아하되 백성과 그것을 함께하신다면, 왕 노릇함에 무슨 어려움이 있겠습니까?

- '何有'는 '何難之有'와 같음.(#49)

○ 丘也幸이로다 苟有過어든 人必知之온여

나(丘)는 다행이다. 〈나에게〉 진실로 잘못이 있으면 남들이 반드시 그것을 아는구나!

• 구丘 : 공자孔子의 이름.

○ 齊國이 雖褊小나 吾何愛一牛리오

제나라가 비록 좁고 작더라도, 내 어찌 한 마리 소를 아끼겠는가?

獻 드릴 헌　王 임금 왕 ; 왕노릇하다　丘 언덕 구　褊 좁을 편　愛 아낄 애

#67 A則B A斯B

A라면 B이다 ; A하면 B하다

접속 기능을 하는 허사가 문장의 사이에 위치하여 가정의 의미를 만든 패턴이다. '卽'과 '則'은 통용되는 경우가 많다.

275 水至清則*無魚하고 人至察則*無徒니라 ≪禮記≫

以AB : A로 B하다

276 以責人之心으로 責己면 則*寡過요

以恕己之心으로 恕人이면 則*全交니라 ≪明心寶鑑≫

A而B : A에 B하다

A也已 : A일 뿐이다

277 四十五十而無聞焉이면 斯*亦不足畏也已니라 ≪論語≫

직역 및 해설

○ 水至清則無魚하고 人至察則無徒니라

물이 지극히 맑으면 물고기가 없고, 사람이 지극히 살피면 무리가 없다.

○ 以責人之心으로 責己면 則寡過요 以恕己之心으로 恕人이면 則全交니라

남을 꾸짖는 마음으로 자기를 꾸짖으면 허물이 적고, 자기를 용서容恕하는 마음으로 남을 용서하면 사귐을 온전히 할 수 있다.

○ 四十五十而無聞焉이면 斯亦不足畏也已니라

40, 50세에 여기에 알려짐이 없다면, 또한 두려워하기에 충분하지 않다.

寡 적을 과 過 허물 과 恕 용서할 서 焉 어조사 언 斯 면 사;~하면

#68 A而B

A하면 B하다

허사 '而'가 문장의 사이에서 가정이나 조건의 의미로 사용된 패턴이다.

278 上下交征利면 而*國이 危矣리이다 ≪孟子≫

279 丈夫生而*願爲之有室하며
女子生而*願爲之有家는 父母之心이라 ≪孟子≫

직역 및 해설

○ 上下交征利면 而國이 危矣리이다

윗사람과 아랫사람이 서로 이익利益을 취하면 나라가 위태危殆로울 것이다.

○ 丈夫生而願爲之有室하며 女子生而願爲之有家는 父母之心이라

장부가 태어나면 그를 위하여 장가 들기(有室)를 원하며, 딸이 태어나면 그를 위하여 시집가기(有家)를 원하는 것은 부모의 마음이다.

- 유실有室: 아내를 둠. 장가듦.
- 유가有家: 시집감. 출가함.

征 칠 정; 다투다　丈 어른 장　室 집 실; 아내　家 집 가; 남편

#69 不A勿B 不A不B 非A勿B 非A無B

A아니면 B 아니다 ; A가 아니면 B하지 마라 ; A 없으면 B 아니다

부정이나 불가능 또는 금지의 문장이 대對를 이루어 가정을 뜻하는 패턴이다. '莫, 無, 毋, 勿, 未, 不, 非' 등 부정을 의미하는 한자가 앞뒤로 다양하게 조합된다.

'A하지 않을 수 없다'를 뜻하는 '이중부정'의 패턴(#37)과 차이점에 유의해야 한다.

280 器有飮食이라도 不與勿食하라 ≪四字小學≫

281 不入虎穴이면 不得虎子라 ≪後漢書≫

282 非禮勿視하며 非禮勿聽하며 非禮勿言하며 非禮勿動이니라 ≪論語≫

無以A : A할 수 없다

283 人生斯世에 非學問이면 無以爲人이라 ≪擊蒙要訣≫

직역 및 해설

○ 器有飮食이라도 不與勿食하라

그릇에 음식이 있더라도 주지 않으면 먹지 말라.

• 호자虎子 : '호랑이'나 '호랑이 새끼' 두 가지 의미가 있음.

○ 不入虎穴이면 不得虎子라

호랑이 굴에 들어가지 않으면 호랑이를 얻을 수 없다.

○ 非禮勿視하며 非禮勿聽하며 非禮勿言하며 非禮勿動이니라

예禮가 아니면 보지 말며, 예가 아니면 듣지 말며, 예가 아니면 말하지 말며, 예가 아니면 행하지 말아야 한다.

○ 人生斯世에 非學問이면 無以爲人이라

사람이 이 세상에 태어나서 학문이 아니면 사람이 될 방법(以)이 없다.

'보다'의 의미를 가진 한자들

見 볼 견	의도 없이 보다
看 볼 간	대략 보다
省 살필 성 察 살필 찰 觀 볼 관	주의 깊게 보다
視 볼 시	집중하여 보다
示 보일 시	남에게 보여주다
瞻 올려볼 첨	아래에서 위를 올려보다
瞰 내려볼 감	위에서 아래를 내려보다

패턴 및 한자에 유의하면서 다음 문장을 풀이하시오. (정답은 부록 참조) 연습문제

150_ 獲罪於天이면 無所禱也니라 ≪論語≫

151_ 貧若勤學이면 可以立身이라 ≪明心寶鑑≫

152_ 水一傾則不可復이요 性一縱則不可反이라 ≪明心寶鑑≫

153_ 觀過면 斯知仁矣니라 ≪論語≫

154_ 君行仁政하시면 斯民이 親其上하여 死其長矣리이다 ≪孟子≫

155_ 信能行此五者면 則鄰國之民이 仰之若父母矣리이다 ≪孟子≫

156_ 苟使吾志로 誠在於學이면 則爲仁由己라 ≪擊蒙要訣≫

157_ 無惻隱之心이면 非人也며 無羞惡之心이면 非人也며 無辭讓之心이면 非人也며 無是非之心이면 非人也니라 ≪孟子≫

4. 한정의 패턴
限 定

오직 ~만이, ~일 뿐이다

사물의 양이나 범위 따위를 제한하는 문장이다.

글 머리〔文頭〕에 한정을 뜻하는 '惟, 唯, 獨, 但, 只, 直, 徒' 등이 나오는 경우와 글 끝〔文尾〕에 한정을 뜻하는 '耳, 爾, 已, 而已, 而已矣' 등이 나오는 경우, 그리고 두 가지가 함께 사용되는 경우가 있다.

한정의 패턴 일람

패턴	풀이	번호
惟/唯/獨/但/只/直/徒 A	오직/다만/한갓 A만이~ 오직/다만/한갓 A이다	#70
A 而已/而已矣/耳/爾/已	A일 뿐이다	#71
惟/唯/獨/但/只/直/徒 A 而已/而已矣/耳/爾/已	오직/다만 A 일/할 뿐이다	#72

CV15678

#70 惟A 獨A 但A 徒A

오직/다만 A만이 ; 오직/다만 A하다

문장의 앞에 한정을 뜻하는 부사가 있는 패턴이다. '惟, 唯, 獨, 但, 只, 直, 徒' 등이 사용된다.

284 唯上知與下愚는 不移니라 ≪論語≫

A與B : A와 B

285 夫君子之用財는 視義之可否니
豈獨視有無而已哉리오 ≪論語集註≫

286 但平生所爲 未嘗有不可對人言者耳라 ≪小學≫

A不足以B
: A로써 B할 수 없다
A不能以B
: A로써 B할 수 없다

287 徒善이 不足以爲政이요 徒法이 不能以自行이라 ≪孟子≫

○ 唯上知與下愚는 不移니라 (1(7) 2 3 4 5 6)

오직 가장 지혜로운 사람(上知)과 가장 어리석은 사람(下愚)만이 변하지 않는다.

○ 夫君子之用財는 視義之可否니 豈獨視有無而已哉리오

군자가 재물을 씀에는 義理의 옳고 그름을 보니, 어찌 다만 있고 없음 만을 볼 뿐이겠는가?

○ 但平生所爲 未嘗有不可對人言者耳라

다만 평생 행한 것이 일찍이 남을 대하여 말할 수 없는 것이 있지 않았을 뿐이다.

○ 徒善이 不足以爲政이요 徒法이 不能以自行이라

한갓 선심善心만으로는 정사政事를 할 수 없으며, 한갓 법만으로 〈정사政事가〉 스스로 행해질 수 없다.

- '唯上知與下愚'와 '徒善이'에서 '唯, 徒'는 '오직/한갓 ~만이'로 두 번 풀이하였는데, 이처럼 2번 풀이하는 법은 139쪽의 "축자식 직역에서 '2회역'"을 참조하라.

직역 및 해설

- 상지上知(=上智) : 지혜가 가장 뛰어난 사람.
- 하우下愚 : 아주 어리석은 사람.

愚 어리석을 우　移 옮길 이　徒 무리 도 ; 한갓

#71 A而已 A耳 A也已

A 뿐이다 ; A일 따름이다

문장의 끝에 한정을 뜻하는 허사가 있는 패턴이다. '而已, 而已矣, 已, 耳, 爾, 也已' 등이 사용된다.

所以A者 B
: A인 까닭은 B이다

288 古之人이 所以大過人者는 無他焉이라
善推其所爲而已矣라 ≪孟子≫

豈A哉 : 어찌 A인가?

289 志之立知之明行之篤이 皆在我耳니
豈可他求哉리오 ≪擊蒙要訣≫

A乎B : B를 A하다
A斯B : A하면 B이다

290 攻乎異端이면 斯害也已니라 ≪論語≫

직역 및 해설

○ 古之人이 所以大過人者는 無他焉이라 善推/其所爲/而已矣라 (4 5 / 1 3 2 / 6 7 8)

옛날의 사람이 남보다 크게 뛰어난 까닭은 이와 다른 것이 없다. 그 하는 것을 잘 미루었을 뿐이다.

○ 志之立知之明行之篤이 /皆在 /我 /耳니 豈可他求哉리오

뜻의 확립確立과 지혜智慧의 밝음과 행동의 도타움이 모두 나에게 있을 뿐이니, 어찌 남에게서 구할 수 있겠는가?

- 72 페이지의 " '之' 다양한 풀이 방법"을 참조.

○ 攻乎異端이면 斯害也已니라

이단異端을 전공專攻하면 해로울 뿐이다.

• 이단異端 : 유가儒家에서 다른 학설學說이나 학파學派를 일컫던 말.

焉(=於此) 어조사 언 ; 여기　篤 도타울 독 ; 돈독함　豈 어찌 기　攻 칠 공 ; 전공하다
斯 이 사 ; ~이면

#72 唯A爾 直A耳

오직 A 뿐이다 ; 단지 A일 따름이다

앞서 제시한 한정을 뜻하는 부사와 한정을 뜻하는 허사가 다양하게 결합된 패턴이다.

291 其在宗廟朝廷하사는 便便言하사되 唯*謹爾*러시다

≪論語≫

292 寡人이 非能好先王之樂也라
直*好世俗之樂耳*로소이다 ≪孟子≫

○ 其在宗廟朝廷하사는 便便言하사되 唯謹爾러시다

그가 종묘와 조정에 있을 때 유창流暢하게 말하되, 오직 삼갈 뿐이었다.

○ 寡人이 非能好先王之樂也라 直好世俗之樂耳로소이다

(어순: 非7 能6 好5 先1 王2 之3 樂4 也8 / 直1 好6 世2 俗3 之4 樂5 耳7)

과인은 선왕의 음악을 좋아할 수 있는 것이 아니라, 단지 세속의 음악을 좋아할 뿐입니다.

'已, 而已, 而已矣'의 구조

善推其所爲而已矣 (어순: 善5 推6 其1 所3 爲2 而7 已8 矣9)

'已'는 '그치다' 또는 '그만두다'의 의미이고, 'A而已'는 'A하고서 그치다'의 의미이며, 'A而已矣'는 'A而已'에 허사 '矣'가 붙은 형태이다.

위 문장을 글자대로 직역하면 '그 하는 것을 잘 미루고서 그치다.'가 되는데, 이를 자연스럽게 풀이하면 '그 하는 것을 잘 미루었을 뿐이다.'가 된다.

직역 및 해설

- 종묘宗廟 : 천자나 제후諸侯의 선조를 제사지내는 사당.
- 편편便便 : 말이 명백하고 유창함.
- 과인寡人 : 군주君主가 스스로를 낮추는 말. '과덕지인寡德之人'의 줄임말.
- 선왕先王 : 옛날의 훌륭한 임금.

廷 조정 **정** 便 말잘할 **변** 謹 부지런할 **근**; 삼가다 爾 어조사 **이**; ~뿐 寡 적을 **과**

한자 넌센스

다음 환자가 꾼 꿈의 의미는?

어느 환자가 왕자가 흙 위에 누워 있는 꿈을 꾸고 점쟁이에게 해몽을 부탁했다. 점쟁이가 '土上臥身 不能再起'라고 써주고는 오래 살지 못할 것으로 풀이하였다.

"흙 위에 몸이 누워있으니 다시 일어날 수 없다."

연습문제

패턴 및 한자에 유의하면서 다음 문장을 풀이하시오. (정답은 부록 참조)

158_ 濫想은 徒傷神이라 ≪明心寶鑑≫

159_ 惟仁者아 能好人하며 能惡人이니라 ≪論語≫

160_ 夫子之道는 忠恕而已矣시니라 ≪論語≫

161_ 君子는 求其在己者而已矣니라 ≪論語集註≫

162_ 爲學이 在於日用行事之間하니 若於平居에 居處恭하며 執事敬하며 與人忠이면 則是名爲學이니 讀書者는 欲明此理而已니라

≪擊蒙要訣≫

5. 감탄의 패턴
感 歎

~로다, ~구나, ~일 것이다

어떤 상황이나 사실에 대하여 감탄을 표현한 문장 패턴이다. 감탄하는 말이 독립적으로 사용되는 경우와 서술어에 허사가 붙은 경우가 있다.

또 감탄의 패턴에는 주어·목적어·보어와 서술어의 순서가 바뀌는 경우도 많다.

가정·조건의 패턴 일람

嗚呼/嗚乎/於乎/於噫 嗟乎/嗟夫/于嗟/噫/惡	아! 오호라!	#73
A 矣夫/矣乎/也哉/也與/也夫 A 夫/兮/矣/哉/乎/與	A하구나! A로다!	#74
A 哉 B (也) A 矣 B (也) A 乎 B (也)	A하구나, B여!	#75
其 A 乎 其 A 與 其 A 哉	아마 A일 것이다 분명 A로구나 혹시 A인가?	#76
庶幾 A 庶乎 A	아마/거의 A할 것이다 A를 바란다	#77

CV15685

#73 嗚呼 嗟乎 噫 惡

아아!

감탄을 뜻하는 의성어가 독립적으로 사용된 패턴이다. 주로 '嗚呼, 嗚乎, 於乎, 於噫, 嗟乎, 嗟夫, 于嗟, 噫, 惡' 등이 사용된다.

A不如B : A는 B만 못하다

293 嗚呼라 曾謂泰山이 不如林放乎아 ≪論語≫

294 顔淵이 死어늘 子曰 噫라 天喪予샷다 天喪予샷다 ≪論語≫

직역 및 해설

○ 嗚呼라 曾謂泰山이 不如林放乎아

오호라, 일찍이 태산〈의 신령神靈〉이 임방만 같지 못하다 이르는가?

- '曾'은 문장 앞에서 어조를 강하게 만드는 역할을 함.

○ 顔淵이 死어늘 子曰 噫라 天喪予샷다 天喪予샷다

안연이 죽자, 공자가 말하였다. "아! 하늘이 나를 망하게 하였구나! 하늘이 나를 망하게 하였구나!"

嗚 어찌 오;슬프다 曾 일찌기 증 淵 못 연 噫 한숨 희 予 나 여

#74 A矣夫 A哉 A與 A也哉

A로다 ; A구나 ; A일 것이다 ; A하라

감탄을 나타내는 허사가 문장 끝에 위치한 패턴이다. '矣, 哉, 乎, 與, 夫, 兮, 矣夫, 矣乎, 也哉, 也與, 也夫' 등이 사용된다.

295 鳳鳥不至하며 河不出圖하니 吾已矣*夫*인저

≪論語≫

296 已矣*乎*라 吾未見好德을 如好色者也로라

≪論語≫

未A : 아직 A 못하다
A如B : A와 B는 같다

○ 鳳鳥不至하며 河不出圖하니 吾已矣夫인저

봉황새가 이르지 않고 황하黃河에서 하도河圖가 나오지 않으니, 나는 끝났구나!

○ 已矣乎라 吾未見好德을 如好色者也로라 (1 2(9.5) 9 4 3 / 7 6 5 8 10)

끝이구나! 나는 아직 덕을 좋아하기(好德)를 여색 좋아하듯(好色) 하는 자를 보지 못하였다.

직역 및 해설

- 봉鳳 : 봉황은 고대부터 신성시했던 상상의 새로 기린·거북·용과 함께 사령四靈의 하나. 수컷을 '봉鳳', 암컷을 '황凰'이라 함.
- 하도河圖 : 옛날 중국中國 복희씨伏羲氏 때에 황하黃河에서 용마가 등지고 나왔다는 55점의 그림.

'未'의 2회역

未는 '아직 ~하지 못하다'와 같이 2회역으로 익히는 것이 좋다.

鳳 봉새 봉 ; 봉황

#75 A哉B(也) A矣B A乎B

A하구나! B여

'B가 A하다'의 감탄의 서술어가 주어 앞으로 도치된 패턴이다.

297 巧言令色이 鮮矣仁이니라 ≪論語≫

298 林放이 問禮之本한대

子曰 大哉라 問이여 ≪論語≫

직역 및 해설

- 교언영색巧言令色 : 교묘한 말과 거짓된 표정으로 남의 환심을 삼.

○ 巧言令色이 鮮矣仁이니라

말을 좋게 하고 얼굴빛을 곱게 하는 자(巧言令色)는 드물구나! 어진 사람이.

○ 林放이 問禮之本한대 子曰 大哉라 問이여

임방이 예의 근본根本을 묻자, 공자가 말하였다. "훌륭하구나! 질문이여."

감탄 패턴의 기본 구조

嗚呼/嗚乎/於乎/於噫 嗟乎/嗟夫/于嗟/噫/惡	A	矣/哉/乎/與/夫/兮 也哉/也與/也夫/矣夫/矣乎	B (也)

아! A로다!/일 것이다!

A로다/로구나!

A로다/로구나! B여!

巧 공교로울 교

#76 其A乎 其A與 其A哉

아마 A일 것이다 ; 분명 A로구나 ; 혹시 A인가?

확신이나 추측, 반어에 쓰인 패턴이다. '~인저/신저'의 형태로 현토懸吐된 것이 대체로 여기에 해당한다. '其A乎, 其A與, 其A哉, 其A也與, 其A也夫' 등이 있다.

299 仲尼曰 始作俑者 其無後乎인저 ≪論語≫

300 詩云 如切如磋하며 如琢如磨라하니 其斯之謂與인저 ≪論語≫

A之B : A를 B하다

○ 仲尼曰 始作俑者 其無後乎인저

중니仲尼가 말하였다. "처음 나무인형(俑)을 만든 자는 분명 후손後孫이 없을 것이다."

○ 詩云 如切如磋하며 如琢如磨라하니 其斯之謂與인저

《시경詩經》에 이르길, '자른 듯하고 간 듯하며, 쪼아놓은 듯하고 간 듯하다'〔切磋琢磨〕하였으니, 혹시 이것을 이른 것입니까?

직역 및 해설

- 중니仲尼 : 공자孔子의 자字.
- 절차탁마切磋琢磨 : 옥玉이나 돌 따위를 갈고 닦아서 빛을 낸다는 뜻으로, 부지런히 학문과 덕행德行을 닦음을 이르는 말.

감탄에서 '其'의 쓰임

'아마~, 분명~' 등 확신을 담은 추측 또는 감탄의 의미로 사용된다.

仲 버금 중　尼 여승 니　俑 허수아비 용　切 끊을 절, 온통 체　磋 갈 차
琢 다듬을 탁　磨 갈 마

#77 庶幾A 庶乎A

아마 A일 것이다 ; 거의 A일 것이다 ; A를 바란다

추측이나 희망을 뜻하는 패턴이다. A가 생략되는 경우 문맥에 따라 해석한다.

A則B : A하면 B하다
其A乎 : 아마 A일 것이다

301 王之好樂이 甚則齊國은 其庶幾乎인저 ≪孟子≫

何以A也 : 무엇 때문에 A한가?

302 吾王이 庶幾無疾病與아 何以能田獵也오 ≪孟子≫

303 學者 必由是而學焉이면 則庶乎其不差矣리라 ≪小學≫

직역 및 해설

○ **王之好樂**이 **甚則齊國**은 **其庶幾乎**인저

왕이 음악을 좋아함이 심하다면, 제齊나라는 아마 거의 다스려질 것이다.

○ **吾王**이 **庶幾無疾病與**아 **何以能田獵也**오

우리 왕이 아마 질병疾病이 없으신가 보다. 어찌 사냥을 잘하실 수 있는가?

○ **學者必由是而學焉**이면 **則庶乎其不差矣**리라

배우는 사람이 반드시 이로 말미암아서 배운다면, 아마 어긋나지 않음에 가까울 것이다.(거의 어긋나지 않을 것이다.)

庶幾의 특징

'庶幾'는 '많고 적다.' 즉 '多少'와 같은 의미로 '거의'라는 뜻을 가진다. 이는 확정적인 의미를 조금 약화하기는 하나 그럴 것이라는 희망을 표현하는 데 사용된다.

齊 가지런할 **제** 庶 거의/가까울 **서** 疾 병 **질** 獵 사냥 **렵** 差 다를 **차**

‘도圖’와 ‘화畵’는 다른 그림?

알아두기

도화서圖畵署는 조선 시대에 그림을 관장하는 관청이었는데, 이곳에서는 ‘도圖’와 ‘화畵’를 구별해서 사용했다. ‘도圖’는 주로 도해圖解나 도설圖說에 필요한 그림으로 복식服飾이나 기구·그릇, 국가 의례儀禮와 관련된 그림을 말하며, ‘화畵’는 왕실의 초상화와 같은 인물화, 산수山水·화조花鳥 등의 회화를 뜻하였다.

패턴 및 한자에 유의하면서 다음 문장을 풀이하시오. (정답은 부록 참조)

연습문제

163_ 君子博學於文이요 約之以禮면 亦可以弗畔矣夫인저 ≪論語≫

164_ 子謂子賤하사대 君子哉라 若人이여 ≪論語≫

165_ 子曰 中庸之爲德也 其至矣乎인저 民鮮이 久矣니라 ≪論語≫

166_ 子曰 賢哉라 回也여 一簞食와 一瓢飮으로 在陋巷을 人不堪其憂어늘 回也不改其樂하니 賢哉라 回也여 ≪論語≫

167_ 固哉라 高叟之爲詩也여 ≪孟子≫

168_ 善如라 爾之問也여 善如라 爾之問也여 ≪小學≫

169_ 鬼神之爲德이 其盛矣乎인저 ≪中庸≫

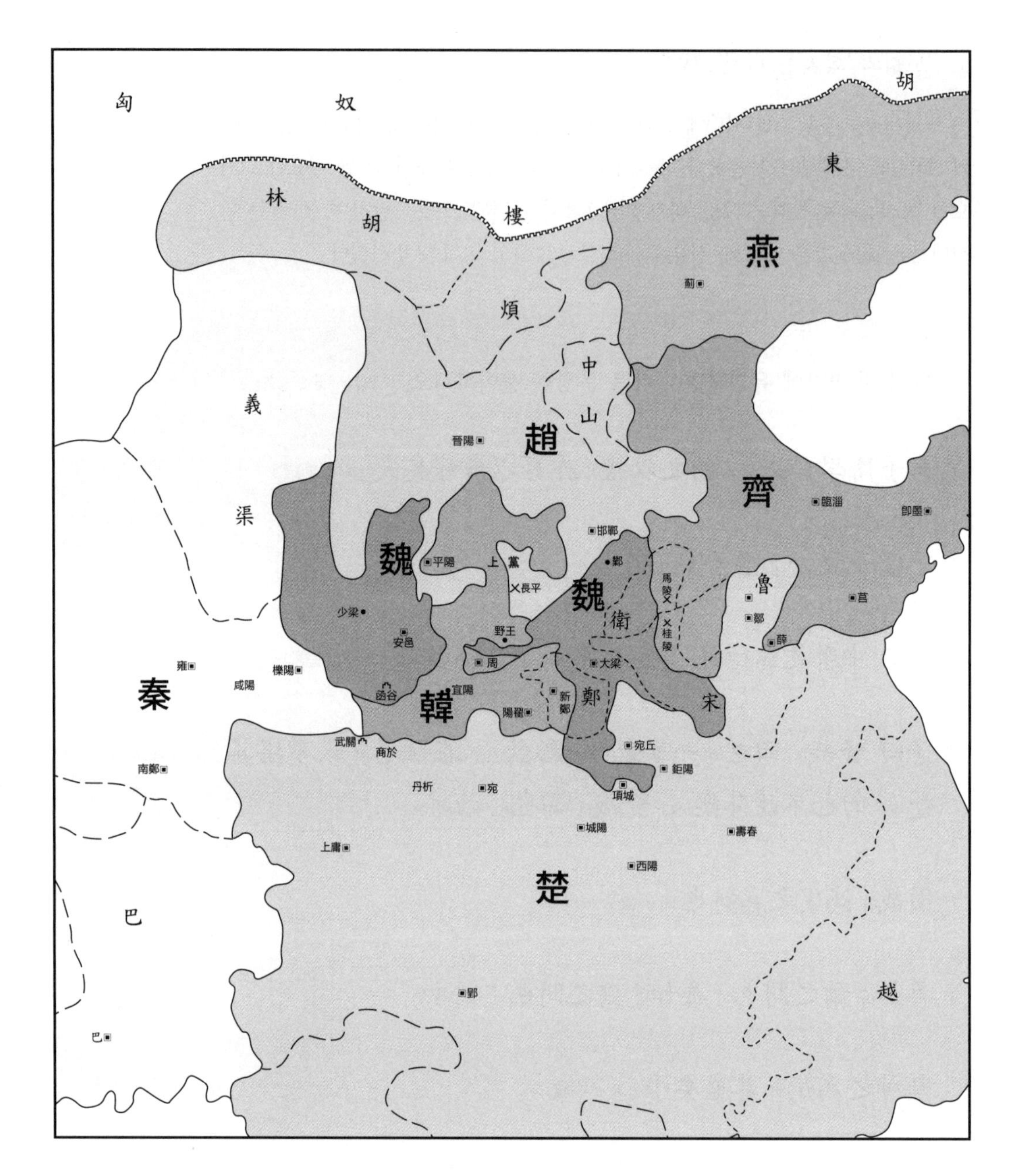

<전국칠웅도戰國七雄圖>

칠웅七雄은 전국시대에 중국의 패권을 놓고 다툰 7대 강국을 일컫는 말로 동방의 제齊, 남방의 초楚, 서방의 진秦, 북방의 연燕, 그리고 중앙의 위魏·한韓·조趙 등이다.

※ 이 지도는 ≪중국역사지도≫를 참조하여 일러스트화한 것임.

부 록

패턴 색인

한자 훈음 일람

연습문제 풀이

출전 약해

주요 인물

참고 문헌

패턴 색인

- 색인의 범위는 교재에 인용한 원문의 패턴에 한함.
- 패턴내 각각의 한자에 모두 제시함. 단, 동일한 한자가 2회 이상 포함된 패턴은 1회만 기록함.
  예: '不可不A'는 '不'과 '可'에 각 1회씩 제시함.
- '한자음 가나다 순'으로 배열함.

• 與其A也 無寧B乎 : A하기 보다는 차라리 B하지 않겠는가?_ 153

能

• 能A : A할 수 있다_ 26 113 119
• 能A乎 : A할 수 있겠는가?_ 159
• 不能A : A할 수 없다_ 113
• 不能以A : A할 수 없다_ 173

ㄷ

但

• 但A : 다만 A가_ 173

徒

• 豈徒A : 어찌 다만 A하겠는가?_ 115
• 豈徒A 又B : 어찌 다만 A 뿐이겠는가? 또 B이다_ 65
• 徒A : 한갓 A만으로_ 173
• 非徒A 而又B : 단지 A일 뿐 아니다. 또 B이다_ 65

同

• 與A同B : A와 함께 B하다_ 63

得

• 得A : A할 수 있다_ 131
• A不可得B : A를 B할 수 없다_ 113

ㄹ

令

• 令AB : A에게 B하게 하다_ 163

ㅁ

莫

• 莫A : A하지 마라_ 127
• 莫AB : A를 B하지 않다_ 87
• 莫不A : A 아님이 없다_ 119
• 莫若A : A만한 것이 없다_ 148
• 莫A於B : B보다 A한 것이 없다_ 89 146
• 莫A焉 : 이보다 A한 것이 없다_ 146
• 莫如A : A만한 것이 없다_ 148
• 莫A乎B : B보다 A한 것이 없다_ 146

亡

• 亡以A : A할 수 없다_ 88
• 非A 亡B : A하지 않으면 B할 수 없다_ 88

命

• 命AB : A에 명하여 B하게 하다_ 164

毋

• 毋A : A하지 마라_ 126

無

• 豈無A哉 : 어찌 A가 없겠는가?_ 133
• 無A : A 없다_ 118
• 無A : A하지 마라_ 127 145
• 無不A : A 아님이 없다_ 119
• 無A不B : 어느 A건 B하지 않음이 없다_ 120
• 無A於B : B보다 A한 것이 없다_ 146
• 無以A : A한 점이 없다_ 88
• 無以A : A할 수 없다_ 170
• 無A而不B : A마다 B하지 않음이 없다_ 120
• 無以爲A : A로 여길 것이 없다_ 81
• 非A無B : A 아니면 B 없다_ 170
• 與其A也 無寧B乎 : A하기 보다는 차라리 B하지 않겠는가?_ 153
• 絶無A : 전혀 A한 것이 없다_ 123
• 必無A : 반드시 A한 것은 없다_ 123

勿

• 勿A : A하지 마라_ 126
• 不A 勿B : A아니면 B하지 마라_ 170
• 非A 勿B : A아니면 B하지 마라_ 170

未

• 未A : 아직 A 아니다/못하다_ 179
• 未A : A 않다/없다_ 118
• 未AB : A가 B하지 않다_ 105
• 未A不B : A에 B하지 않음이 없다_ 120
• A未若B : A는 B만 못하다_ 144
• 未必A : 반드시 A한 것은 아니다_ 122

ㅂ

夫

• A矣夫 : A구나/로다_ 179

不

• 莫不A : A 아님이 없다_ 119

雖
- 雖A : 비록 A라도_ 109 167

孰
- 孰A : 누가 A하는가?_ 41 134
- A與B孰C : A와 B 가운데 어느 것이 더 C한가?_ 134

是
- A是B : A는 B이다_ 57
- A是B : A를 B하다_ 108

ㅇ

也
- 其A也與 : 아마 A일 것이다_ 93
- 所A者 以B(也) : A한 것은 B 때문이다_ 90
- A也B : A가 B하다_ 167
- A也B : A는 B이다/하다_ 75 138
- A也 非B也 : A이지 B가 아니다_ 113
- A也B也 : A는 B이다_ 84
- A也已 : A일 뿐이다_ 168 174
- A也者 : A라는 것은_ 56
- 焉A也 : 어찌 A하겠는가?_ 109
- 與其A也 豈若B乎 : A하는 것이 어찌 B하는 것과 같겠는가?_ 153
- 與其A也 寧B : A하느니 차라리 B하겠다_ 151
- 與其A也 無寧B乎 : A하기 보다는 차라리 B하지 않겠는가?_ 153
- 與其A也 不若B : A하는 것은 B하는 것만 못하다_ 152
- 與其A也 不如B : A하는 것은 B하는 것만 못하다_ 152
- A者B也 : A는 B이다_ 65 89
- A者 B之所以C也 : A는 B가 C한 것이다_ 89
- A之B也 : A가 B하다_ 120 143 144
- 何由A也 : 무슨 까닭으로 A인가?_ 136
- 何以A也 : 무엇 때문에 A한가?_ 182

耶
- 何故A耶 : 무슨 까닭으로 A인가?_ 136

若
- 莫若A : A만한 것이 없다_ 148
- A未若B : A는 B만 못하다_ 144
- A不若B : A는 B만 못하다_ 144
- 譬若A : 비유하면 A와 같다_ 143
- 若A : 만약 A라도_ 128 159
- 若A : 만약 A하면_ 167
- 若A : A인 듯하다_ 95
- A若B : A가 B와 같다_ 68
- 若A則 : 만약 A하면_ 138
- 與其A也 豈若B乎 : A하는 것이 어찌 B하는 것과 같겠는가?_ 153
- 與其A也 不若B : A하는 것은 B하는 것만 못하다_ 152

於
- 莫A於B : B보다 A한 것이 없다_ 89 146
- 無A於B : B보다 A한 것이 없다_ 146
- A尙B 況在於C乎 : A도 오히려 B한데 하물며 C하는데 있어서는?_ 137
- 於AB : A에 B하다_ 84
- A於B : B를 A하다_ 58
- A於B : B보다 A하다_ 145
- A於B : B에게 A 되어지다_ 160
- A於B : B에 A하다_ 37 51 58 126 154
- 於A何有 : A에 무슨 어려움이 있겠는가?_ 167
- 於A乎何有 : A함에 무슨 어려움이 있겠는가?_ 138
- 由A至於B : A부터 B까지_ 101
- 自A以(B)至於C : A부터 B로 C에 이르기까지_ 102

語
- 語A曰B : A에게 B라고 말하다_ 113

抑
- A與 抑 B與 : A인가? 아니면 B인가?_ 154

焉
- 莫A焉 : 이보다 A한 것이 없다_ 146
- 焉A : 어찌 A인가?_ 131
- 焉A : 어찌 A하겠는가?_ 113
- 焉A也 : 어찌 A하겠는가?_ 109
- 焉A哉 : 어찌 A인가?_ 133

如
- 莫如A : A만한 것이 없다_ 148
- A不如B : A는 B만 못하다_ 144 178
- 譬如A : 비유하면 A와 같다_ 83 143

有
- A何有 : A에 무슨 어려움이 있겠는가?_ 167
- 於A乎何有 : A함에 무슨 어려움이 있겠는가?_ 138
- 有以A : A한 점이 있다_ 88
- 何A之有 : 무슨 A가 있겠는가?_ 138

猶
- A猶B : A는 B와 같다_ 70 71 93 142
- A猶B 況C乎 : A도 오히려 B한데 하물며 C는?_ 137

由
- 由A至於B : A부터 B까지_ 101
- 何由A也 : 무슨 까닭으로 A인가?_ 136

矣
- 庶乎A矣 : 거의 A일 것이다_ 182
- A矣B : A하구나! B여_ 180
- A矣夫 : A구나/로다_ 179
- A矣哉 : A하구나!_ 145
- A矣乎 : A구나/로다_ 179
- A矣乎 : A한가?_ 113
- A耳矣 : A일 뿐이다_ 70
- A而已矣 : A일 뿐이다_ 174

以
- A可以B : A로써 B할 수 있다_ 61
- 亡以A : A할 수 없다_ 88
- 無以A : A한 점이 없다_ 88
- 無以A : A할 수 없다_ 170
- 無以爲A : A로 여길 것이 없다_ 81
- 不能以A : A할 수 없다_ 173
- 不足以A : A할 수 없다_ 115 173
- 所以A : A하는 것(도구/까닭/방법)_ 87
- 所以A : A하는 방법_ 163
- 所以A 以B : A하는 까닭은 B 때문이다_ 90
- 所以A者 B : A인 까닭은 B이다_ 174
- 所A者 以B(也) : A한 것은 B 때문이다_ 90
- 有以A : A한 점이 있다_ 88
- 以A : A 때문에_ 77
- 以AB : A로써 B하다_ 74 135 168
- 以AB : A를 B하다_ 90 132
- A以 : A때문에_ 77
- A以B : A로써 B하다_ 68 75 135
- A以B : A해서 B하다_ 75 122
- A以B : B로써 A하다_ 76 83 88
- A以B : B를 A하다_ 30
- 以A爲B : A를 B로 삼다_ 88
- 以A爲B : A를 B로 여기다_ 120
- 以A爲B : A를 B로 여기다/말하다/삼다_ 80 102
- A以爲B : A를 B로 여기다/말하다/삼다_ 81
- A以爲B : A해서 B하다_ 64
- 以爲A 而B : A라 여겨서 B하다_ 65
- 以A而B : A라 여겨서 B하다_ 126
- 自A以(B)至於C : A부터 B로 C에 이르기까지_ 102
- A者 B之所以C也 : A는 B가 C한 것이다_ 89
- 足以A : A할 수 있다_ 115
- A之所以B者 C : A가 B하는 것은 C이다_ 89
- 何以A : 무엇으로 A하겠는가?_ 136
- 何以A也 : 무엇 때문에 A한가?_ 182

已
- A也已 : A일 뿐이다_ 168 174
- A而已矣 : A일 뿐이다_ 174

爾
- A云爾 : A라 말할 뿐이다_ 95
- 唯A爾 : 오직 A일 뿐이다_ 175
- 直A爾 : 오직 A일 뿐이다_ 175

而
- 無A而不B : A마다 B하지 않음이 없다_ 120
- 非徒A 而又B : 단지 A일 뿐 아니다. 또 B이다_ 65
- A而 : A 때에/동안_ 98
- A而B : A를 B하다_ 109 137
- A而B : A에 B하다_ 84 168
- A而B : A하고 B하다_ 61
- A而B : A하나 B하다_ 61
- A而B : A하면 B하다_ 83 169
- A而B : A해서 B하다_ 61
- 以爲A 而B : A라 여겨서 B하다_ 65
- 以A 而B : A라 여겨서 B하다_ 126
- A而已矣 : A일 뿐이다_ 174

한자 훈음 일람

- 한자의 범위는 본서에 수록된 문장 전체(연습 문제 포함)를 대상으로 함.
- 몽학서蒙學書(사자소학, 추구 등) 및 사서四書의 범위 내에서 실제 사용된 훈음訓音을 제공함.
- 음이 둘 이상인 한자는 각각의 음마다 매번 제시하여, 하나의 음만 알더라도 찾아볼 수 있도록 함.
- 훈음은 1999년 본회 등에서 제정한 '敎育 漢字의 代表 訓音'을 기준으로 현대화하여 수정함.

ㄱ

價 : 값 가
加 : 더할 가
可 : 옳을 가
嫁 : 시집갈 가
家 : 집 가
暇 : 틈 가 ; 겨를 가
各 : 각각 각
角 : 뿔 각
看 : 볼 간
簡 : 대쪽 간 ; 간략할 간 ; 편지 간
諫 : 간할 간
間 : 사이 간 ; 비난할 간 ; 차도 있을 간
害 : 어찌 아니할 갈 ; 어느 할 ; 해할 해
堪 : 견딜 감
敢 : 감히 감 ; 구태여 감
甘 : 달 감
岡 : 산등성이 강
剛 : 굳셀 강
康 : 편안 강
强 : 강할 강
江 : 강 강
綱 : 벼리 강
改 : 고칠 개
皆 : 다 개
開 : 열 개
客 : 손 객
硜 : 돌소리 갱 ; 돌소리 경
更 : 다시 갱 ; 고칠 경
去 : 갈 거
居 : 살 거
擧 : 들 거
儉 : 검소할 검
牽 : 끌 견
犬 : 개 견
見 : 볼 견 ; 뵈올 현 ; (≒現)나타날 현
遣 : 보낼 견
結 : 맺을 결 ; 마칠 결
兼 : 겸할 겸
硜 : 돌소리 경 ; 돌소리 갱
傾 : 기울 경
境 : 지경 경
慶 : 경사 경
敬 : 공경 경
景 : 볕 경 ; (≒影)그림자 영
更 : 고칠 경 ; 다시 갱
競 : 다툴 경
經 : 글 경 ; 지날 경
輕 : 가벼울 경
鏡 : 거울 경
季 : 계절 계 ; 끝 계
鷄 : 닭 계
古 : 옛 고
告 : 고할 고 ; 아뢸 곡
固 : 굳을 고 ; 본디 고
姑 : 시어머니 고 ; 우선 고 ; 고모 고
孤 : 외로울 고
故 : 연고 고
苦 : 쓸 고
高 : 높을 고
鼓 : 북 고
瞽 : 소경 고
告 : 아뢸 곡 ; 고할 고
供 : 이바지할 공
公 : 공평할 공
共 : 한가지 공 ; 함께 공
功 : 공 공
孔 : 구멍 공 ; 성씨 공
恭 : 공손할 공
攻 : 칠 공
空 : 빌 공
貢 : 바칠 공 ; 공법 공
寡 : 적을 과
瓜 : 오이 과
科 : 구덩이 과 ; 과목 과
過 : 지날 과 ; 허물 과
官 : 벼슬 관
寬 : 너그러울 관
觀 : 볼 관
貫 : 꿸 관
括 : 묶을 괄
光 : 빛 광
怪 : 괴이할 괴
愧 : 부끄러울 괴
交 : 사귈 교
巧 : 공교할 교
敎 : 가르칠 교 ; 하여금 교
校 : 학교 교
狡 : 교활할 교
驕 : 교만할 교
丘 : 언덕 구
久 : 오랠 구
九 : 아홉 구 ; (≒糾)모을 규
口 : 입 구
句 : 구절 구
懼 : 두려워할 구
拘 : 잡을 구
救 : 구원할 구
求 : 구할 구
狗 : 개 구
矩 : 곱자 구 ; 법도 구
舊 : 옛 구
苟 : 구차할 구 ; 진실로 구
國 : 나라 국
君 : 임금 군 ; 군자 군 ; 그대 군
窘 : 군색할 군
弓 : 활 궁
窮 : 다할 궁 ; 궁할 궁
勸 : 권할 권
厥 : 그 궐
歸 : 돌아갈 귀 ; 시집갈 귀
貴 : 귀할 귀
鬼 : 귀신 귀 ; 별 이름 귀
九 : (≒糾)모을 규 ; 아홉 구
鈞 : 서른 근 균
克 : 이길 극
極 : 다할 극 ; 끝 극
勤 : 힘쓸 근 ; 부지런할 근
根 : 뿌리 근
謹 : 삼갈 근
近 : 가까울 근
今 : 이제 금

擒 : 사로잡을 금
禽 : 새 금 ;
(≒擒)사로잡을 금
金 : 쇠 금 ;
성씨 김
及 : 미칠 급 ;
더불 급
急 : 급할 급
其 : 그 기 ;
(≒豈)어찌 기 ;
아마 기
器 : 그릇 기
己 : 몸 기
幾 : 몇 기
旣 : 이미 기 ;
(≒槩)쌀 희
棄 : 버릴 기
氣 : 기운 기 ;
(≒餼)보낼 희
豈 : 어찌 기
起 : 일어날 기
騎 : 말 탈 기
金 : 성씨 김 ;
쇠 금

ㄴ

煖 : 더울 난
難 : 어려울 난
南 : 남녘 남
納 : 들일 납 ;
신발 신을 납
內 : (≒納)들일 납 ;
안 내
囊 : 주머니 낭
曩 : 접때 낭
乃 : 이에 내
內 : 안 내 ;
(≒納)들일 납
耐 : 견딜 내
奈 : 어찌 내
女 : 여자 녀 ;
(≒汝)너 여
年 : 해 년 ;
나이 년
念 : 생각 념
寧 : 편안할 녕 ;
차라리 녕
佞 : 아첨할 녕 ;
말재주 있을 녕
奴 : 종 노
農 : 농사 농
訥 : 말 더듬거릴 눌
能 : 능할 능
尼 : 여승 니 ;
막을 닐
溺 : 빠질 닉
尼 : 막을 닐 ;
여승 니

ㄷ

多 : 많을 다 ;
다만 다 ;
중시할 다
但 : 다만 단
短 : 짧을 단
端 : 끝 단 ;
바를 단
簞 : 소쿠리 단
達 : 통달할 달 ;
이를 달
淡 : 맑을 담
堂 : 집 당
當 : 마땅 당 ;
감당할 당
黨 : 무리 당 ;
마을 당
代 : 대신할 대 ;
번갈을 대 ;
세대 대
大 : 클 대 ;
(≒太)클 태
對 : 대할 대 ;
대답할 대
帶 : 띠 대
待 : 기다릴 대
載 : (≒戴)떠받들 대 ;
실을 재 ;
(≒年)해 재
宅 : 댁 댁 ;
집 택
德 : 큰 덕 ;
덕 덕
刀 : 칼 도
圖 : 그림 도 ;
도모할 도
塗 : (≒途)길 도 ;
칠할 도
徒 : 무리 도 ;
한갓 도
盜 : 도둑 도
禱 : 빌 도
稻 : 벼 도
逃 : 도망할 도
道 : 길 도 ;
무리 도
獨 : 홀로 독
篤 : 도타울 독
讀 : 읽을 독 ;
구절 두
動 : 움직일 동
同 : 한가지 동
東 : 동녘 동
讀 : 구절 두 ;
읽을 독
土 : 뿌리 두 ;
흙 토
得 : 얻을 득 ;
능할 득

ㄹ

落 : 떨어질 락 ;
촌락 락
樂 : 즐길 락 ;
노래 악 ;
좋아할 요
亂 : 어지러울 란 ;
다스릴 란 ;
악장 이름 란
濫 : 넘칠 람
來 : 올 래
萊 : 명아주 래
兩 : 두 량 ;
한냥 량
梁 : 들보 량 ;
나라이름 량
良 : 어질 량 ;
진실로 량
閭 : 마을 려
麗 : 고울 려
力 : 힘 력
烈 : 매울 렬
廉 : 청렴할 렴 ;
모날 렴
斂 : 거둘 렴
獵 : 사냥 렵
令 : 명령 령 ;
하여금 령
禮 : 예도 례
醴 : 단술 례
怒 : 성낼 로
勞 : 일할 로 ;
수고로울 노
老 : 늙을 로 ;
노자 로
路 : 길 로
祿 : 녹 록
論 : 논할 론
聾 : 귀머거리 롱
龍 : 용 룡 ;
(≒隴/壟)언덕 롱
漏 : 샐 루 ;
모퉁이 루
累 : 자주 루 ;
허물 루
陋 : 더러울 루
劉 : 죽일 류 ;
성씨 류
柳 : 버들 류 ;
성씨 류
流 : 흐를 류
留 : 머무를 류 ;
남길 류
類 : 무리 류
六 : 여섯 륙
倫 : 인륜 륜 ;
차례 륜
輪 : 바퀴 륜
栗 : 밤 률 ;
(≒慄)두려울 률
率 : 비율 률 ;
거느릴 솔 ;
경솔할 솔
稟 : 곳집 름 ;
여쭐 품
利 : 이로울 리 ;
날카로울 리
履 : 밟을 리 ;
신 리
梨 : 배나무 리
犁 : 얼룩소 리
理 : 다스릴 리 ;
이치 리
里 : 마을 리 ;
(≒裏)속 리
異 : 다를 리
隣 : (≒鄰)이웃 린
鄰 : (≒隣)이웃 린
林 : 수풀 림
臨 : 임할 림
立 : 설 립 ;
곧 립

ㅁ

磨 : 갈 마
馬 : 말 마
莫 : 없을 막 ;
(≒暮)저물 모
滿 : 찰 만
萬 : 일만 만
末 : 끝 말 ;
없을 말
亡 : 망할 망 ;
없을 무
忘 : 잊을 망

望 : 바랄 망 ;
보름 망
網 : 그물 망
罔 : 없을 망 ;
(≒網)그물 망 ;
속일 망
梅 : 매화 매
罵 : 꾸짖을 매
孟 : 맏 맹
面 : 낯 면 ;
향할 면
滅 : 멸할/꺼질 멸
冥 : 어두울 명
名 : 이름 명
命 : 목숨 명
明 : 밝을 명
鳴 : 울 명
莫 : (≒暮)저물 모 ;
없을 막
慕 : 그릴 모
暮 : 저물 모
母 : 어머니 모
毛 : 터럭 모
眸 : 눈동자 모
矛 : 창 모
謀 : 꾀 모
木 : 나무 목 ;
질박할 목
目 : 눈 목
鶩 : 집오리 목
廟 : 사당 묘
苗 : 싹 묘
畝 : 이랑 묘 ;
이랑 무
亡 : 없을 무 ;
망할 망
武 : 호반 무
毋 : 말 무
無 : 없을 무
畝 : 이랑 무 ;
이랑 묘
墨 : 먹 묵
問 : 물을 문
文 : 글월 문
聞 : 들을 문 ; 퍼질 문
門 : 문 문
勿 : 말 물
物 : 물건 물
味 : 맛 미
媚 : 아첨할 미 ;
예쁠 미
微 : 작을 미
未 : 아닐 미
眉 : 눈썹 미
美 : 아름다울 미
敏 : 민첩할 민
民 : 백성 민

ㅂ

博 : 넓을 박 ;
장기 박
泊 : 머무를 박 ;
담백할 박
薄 : 엷을 박
反 : 돌이킬 반 ;
뒤집힐 번
畔 : 밭두둑 반 ;
(≒叛)배반할 반
飯 : 밥 반
發 : 필 발 ;
쏠 발 ;
창고 열 발
放 : 풀어놓을 방 ;
방자할 방
方 : 모 방 ;
본뜰 방
謗 : 헐뜯을 방
邦 : 나라 방
防 : 막을 방
培 : 북돋울 배
拜 : 절 배
北 : (≒背)달아날/등
질 배 ;
북녘 북
伯 : 맏 백 ;
백배 배
帛 : 비단 백 ;
폐백 백
柏 : 잣 백 ;
측백 백
白 : 흰 백 ;
알릴 백
百 : 일백 백
反 : 뒤집힐 번 ;
돌이킬 반
伐 : 칠 벌
凡 : 무릇 범
氾 : 넘칠 범
犯 : 범할 범
法 : 법 법
碧 : 푸를 벽
璧 : 구슬 벽
辟 : 임금 벽 ;
(≒譬)비유할 비 ;
(≒避)피할 피
變 : 변할 변
辯 : 말 잘할 변
便 : 곧 변 ;
편할 편
別 : 나눌 별
病 : 병 병 ;
수고로울 병
保 : 지킬 보
報 : 갚을 보 ;
알릴 보
寶 : 보배 보
補 : 기울 보 ;
도울 보
輔 : 도울 보
父 : 경칭 보 ;
아비 부
復 : 회복할 복 ;
다시 부
服 : 옷 복 ;
복종할 복 ;
대신 복
福 : 복 복
腹 : 배 복
覆 : 다시 복 ;
덮을 부
本 : 근본 본
奉 : 받들 봉
封 : 봉할 봉 ;
제사이름 봉
逢 : 만날 봉
鳳 : 봉새 봉
復 : 다시 부 ;
회복할 복
覆 : 덮을 부 ;
다시 복
俯 : 구부릴 부
夫 : 지아비 부 ;
어조사 부
婦 : 아내 부
富 : 부유할 부
浮 : 뜰 부 ;
부처 부
父 : 아비 부 ;
경칭 보
符 : 부절 부
賦 : 부세 부
赴 : 다다를 부
部 : 떼 부
北 : 북녘 북 ;
(≒背)달아날 배
分 : 나눌 분 ;
단위 푼
憤 : 분발할 분
盆 : 동이 분
不 : 아닐 불
弗 : 아닐 불
朋 : 벗 붕
肥 : 살찔 비
譬 : 비유할 비
鄙 : 더러울 비
非 : 아닐 비 ;
비방할 비
俾 : 더할 비 ;
하여금 비
辟 : (≒譬)비유할 비 ;
임금 벽 ;
(≒避)피할 피
貧 : 가난할 빈
賓 : 손 빈

ㅅ

事 : 일 사 ;
섬길 사
仕 : 벼슬 사
似 : 닮을 사
使 : 부릴 사 ;
하여금 사 ;
심부름 보낼 시
司 : 맡을 사
四 : 넉 사
士 : 선비 사 ;
(≒師)군사 사
奢 : 사치할 사
師 : 스승 사 ;
(≒士)군사 사
思 : 생각 사 ;
어조사 사
斯 : 이 사 ;
(≒則)어조사 사 ;
잠깐 사
死 : 죽을 사
私 : 사사로울 사 ;
편애할 사
舍 : 집 사 ;
(≒捨)버릴 사
蛇 : 뱀 사
賜 : 줄 사
辭 : 말씀 사
食 : 먹일 사 ;
먹을 식 ;
밥 식
山 : 메 산
殺 : 죽일 살 ;
감할 쇄 ;
(≒弑)윗사람 죽
일 시
三 : 석 삼
參 : 석 삼 ;
참여할 참
上 : 윗 상 ;
가장자리 상

傷 : 상할 상
喪 : 잃을 상
嘗 : 맛볼 상 ;
일찌기 상 ;
가을제사 상
尙 : 숭상할 상 ;
오히려 상 ;
상나라 상
常 : 떳떳할 상 ;
항상 상 ;
(≒嘗)일찍이 상
想 : 생각 상
桑 : 뽕나무 상
相 : 서로 상 ;
재상 상 ;
점칠 상 ;
(≒狀)모양 상
霜 : 서리 상
色 : 빛 색
生 : 날 생
序 : 차례 서 ;
학교이름 서
庶 : 여러 서 ;
거의 서
徐 : 천천히 할 서
恕 : 용서할 서
書 : 글 서 ;
쓸 서
逝 : 갈 서
鼠 : 쥐 서
芧 : 상수리나무 서
夕 : 저녁 석
惜 : 아낄 석
昔 : 옛 석
石 : 돌 석
先 : 먼저 선
善 : 착할 선
鮮 : 고울 선 ;
선명할 선 ;
생선 선 ;
(≒稀)드물 선
還 : (≒旋)돌 선 ;
돌아올 환
說 : 말씀 설 ;
달랠 세 ;
(≒悅)기뻐할 열 ;
(≒脫)벗을 탈
雪 : 눈 설
涉 : 건널 섭
葉 : 땅 이름 섭 ;
잎 엽
姓 : 성씨 성
性 : 성품 성
成 : 이룰 성
星 : 별 성
盛 : 성할 성 ;
담을 성
聖 : 성인 성
聲 : 소리 성
誠 : 정성 성 ;
진실로 성
騂 : 붉은 말 성
說 : 달랠 세 ;
말씀 설 ;
(≒悅)기뻐할 열 ;
(≒脫)벗을 탈
世 : 세상 세 ;
대 세
歲 : 해 세
細 : 가늘 세
召 : 부를 소
小 : 작을 소
少 : 적을 소 ;
젊을 소
所 : 바 소 ;
처소 소
昭 : 밝을 소 ;
사당차례 소
燒 : 불사를 소
韶 : 풍류 이름 소
疎 : 성길 소
蔬 : 나물 소
踈 : 트일 소
素 : 본디 소
俗 : 풍속 속
束 : 묶을 속 ;
약속할 속
粟 : 조 속
孫 : 손자 손 ;
(≒遜)겸손할 손
遜 : 겸손할 손
率 : 거느릴 솔 ;
경솔할 솔 ;
비율 률
帥 : 거느릴 솔 ;
장수 수
宋 : 송나라 송 ;
성씨 송
松 : 소나무 송
誦 : 외울 송
送 : 보낼 송
殺 : 감할 쇄 ;
죽일 살 ;
(≒弑)윗사람 죽일 시
修 : 닦을 수 ;
수선할 수
受 : 받을 수
守 : 지킬 수
帥 : 장수 수 ;
거느릴 솔
手 : 손 수
授 : 줄 수
收 : 거둘 수
樹 : 나무 수 ;
세울 수
水 : 물 수
獸 : 짐승 수
羞 : 부끄러울 수
脩 : (≒脯)포 수 ;
(≒修)닦을 수
誰 : 누구 수
讐 : 원수 수
遂 : 따를 수 ;
드디어 수
雖 : 비록 수
須 : 모름지기 수 ;
잠깐 수 ;
(≒鬚)수염 수
首 : 머리 수
叟 : 늙은이 수
廋 : 숨길 수
唯 : (≒誰)누구 수 ;
오직 유 ;
대답할 유
叔 : 아저씨 숙
孰 : 누구 숙 ;
(≒熟)익을 숙
舜 : 순임금 순 ;
무궁화 순
順 : 순할 순
述 : 펼 술
習 : 익힐 습
乘 : 탈 승 ;
네마리 말 승
勝 : 이길 승
升 : 되 승 ;
(≒昇)오를 승
承 : 이을 승
使 : 심부름 보낼 시 ;
부릴 사 ;
하여금 사
殺 : (≒弑)윗사람 죽일 시 ;
죽일 살 ;
감할 쇄
侍 : 모실 시
始 : 비로소 시
市 : 저자 시
弑 : 윗사람 죽일 시
施 : 베풀 시 ;
버릴 이
是 : 이 시 ;
옳을 시
時 : 때 시 ;
(≒是)이 시
恃 : 믿을 시
視 : 볼 시
詩 : 시 시
息 : 쉴 식 ;
꺼질 식 ;
자식 식
食 : 밥 식 ;
먹을 식 ;
먹일 사
信 : 믿을 신 ;
진실로 신
愼 : 삼갈 신
新 : 새로울 신
晨 : 새벽 신
神 : 귀신 신
臣 : 신하 신
薪 : 섶/땔나무 신
身 : 몸 신
辰 : 때 신 ;
별 진
親 : (≒新)새로울 신 ;
친할 친
失 : 잃을 실
室 : 집 실 ;
아내 실
實 : 열매 실
悉 : 다 실
尋 : 찾을 심 ;
여덟 자 심
心 : 마음 심
深 : 깊을 심
甚 : 심할 심
十 : 열 십
雙 : 쌍 쌍
氏 : 성씨 씨 ;
각시 씨

ㅇ

俄 : 잠시 아
我 : 나 아
餓 : 주릴 아
惡 : 악할 악 ;
미워할 오 ;
어찌 오
樂 : 노래 악 ;
즐길 락 ;
좋아할 요
安 : 편안 안 ;
어찌 안
顔 : 얼굴 안
揠 : 뽑을 알
暗 : 어두울 암
仰 : 우러를 앙

殃 : 재앙 앙
哀 : 슬플 애
愛 : 사랑 애 ;
아낄 애
騃 : 어리석을 애
也 : 어조사 야
夜 : 밤 야
耶 : 그런가 야
野 : 들 야 ;
촌스러울 야
約 : 맺을 약 ;
요약할 약
若 : 같을 약 ;
만약 약
藥 : 약 약
佯 : 거짓 양
壤 : 흙덩이 양
楊 : 버들 양
讓 : 사양할 양 ;
꾸짖을 양
陽 : 볕 양
養 : 기를 양
於 : 어조사 어 ;
(≒嗚)탄식할 오
語 : 말씀 어
魚 : 물고기 어
抑 : 누를 억 ;
아니 억
焉 : 어조사 언 ;
어찌 언
言 : 말씀 언 ;
어조사 언
掩 : 가릴 엄
業 : 업 업
予 : (≒余)나 여 ;
(≒與)줄 여
如 : 같을 여 ;
만약 여 ;
갈 여 ;
혹(或) 여
與 : 더불 여 ;
줄 여 ;
허여할 여 ;
(≒歟)그런가 여 ;
참여할 예
輿 : 수레 여
餘 : 남을 여
亦 : 또 역
易 : 바꿀 역 ;
쉬울 이 ;
(≒治)다스릴 이
逆 : 거스릴 역
延 : 늘일 연
淵 : 못 연 ;
깊을 연
然 : 그럴 연 ;
(≒燃)불탈 연
燕 : 제비 연 ;
(≒宴)잔치 연
說 : (≒悅)기뻐할 열 ;
말씀 설 ;
달랠 세 ;
(≒脫)벗을 탈
葉 : 잎 엽 ;
땅 이름 섭
景 : (≒影)그림자 영 ;
볕 경
與 : 참여할 예 ;
더불 여 ;
줄 여 ;
허여할 여 ;
(≒歟)그런가 여
芸 : (≒藝)재주 예 ;
재주 운
藝 : 재주 예 ;
심을 예
譽 : 기릴 예 ;
명예 예
惡 : 미워할 오 ;
어찌 오 ;
악할 악
於 : (≒嗚)탄식할 오 ;
어조사 어
五 : 다섯 오
吾 : 나 오
嗚 : 슬플 오
奧 : 깊을 오 ;
아랫목 오
汚 : 더러울 오
屋 : 집 옥
玉 : 구슬 옥
王 : (≒玉)옥 옥 ;
임금 왕 ;
왕노릇할 왕
溫 : 따뜻할 온 ;
(≒蘊)쌓을 온
慍 : 성낼 온
雍 : 화할 옹
曰 : 가로 왈
往 : 갈 왕
王 : 임금 왕 ;
왕노릇할 왕 ;
(≒玉)옥 옥
外 : 바깥 외
畏 : 두려워할 외
樂 : 좋아할 요 ;
즐길 락 ;
노래 악
堯 : 높을 요 ;
요임금 요
要 : 요긴할 요 ;
요구할 요
慾 : 욕심 욕
欲 : 하고자 할 욕
辱 : 욕될 욕
俑 : 목우 용
勇 : 날랠 용
容 : 얼굴 용 ;
담을 용
庸 : 떳떳할 용 ;
(≒用)쓸 용
用 : 쓸 용
于 : 어조사 우
又 : 또 우
友 : 벗 우
宇 : 집 우
尤 : 탓할 우 ;
더욱 우
愚 : 어리석을 우
憂 : 근심 우
牛 : 소 우
羽 : 깃 우 ;
음률 우
云 : 이를 운 ;
(≒雲)구름 운
芸 : (≒藝)재주 운 ;
재주 예
耘 : 김맬 운
雲 : 구름 운
熊 : 곰 웅
怨 : 원망할 원
遠 : 멀 원
願 : 원할 원
月 : 달 월
位 : 자리 위
危 : 위태할 위
委 : 맡길 위 ;
자세할 위
威 : 위엄 위
爲 : 할 위 ;
될 위 ;
위할/때문 위
謂 : 이를 위
乳 : 젖 유
儒 : 선비 유
唯 : 오직 유 ;
대답할 유 ;
(≒誰)누구 수
孺 : 젖먹이 유
幼 : 어릴 유
惟 : 오직 유 ;
생각할 유
愈 : 나을 유
有 : 있을 유 ;
(≒又)또 유
猶 : 같을 유 ;
오히려 유
由 : 말미암을 유 ;
(≒猶)같을 유
踰 : 넘을 유
遊 : 놀 유
遺 : 남길 유
囿 : 동산 유
肉 : 고기 육
允 : 맏 윤 ;
진실로 윤
尹 : 다스릴 윤
潤 : 윤택할 윤 ;
불을 윤
恩 : 은혜 은
殷 : 성할 은 ;
은나라 은
隱 : 숨을 은 ;
가여워할 은
吟 : 읊을 음
陰 : 그늘 음 ;
몰래 음
音 : 소리 음
飮 : 마실 음
應 : 응할 응
儀 : 거동 의
宜 : 마땅 의
意 : 뜻 의
毅 : 굳셀 의
疑 : 의심할 의 ;
아마 의
矣 : 어조사 의
義 : 옳을 의
衣 : 옷 의 ;
저고리 의
施 : 버릴 이 ;
베풀 시
易 : 쉬울 이 ;
(≒治)다스릴 이 ;
바꿀 역
二 : 두 이
以 : 써 이 ;
까닭 이
伊 : 저 이
夷 : 오랑캐 이 ;
평이할 이
已 : 이미 이
爾 : 너 이 ;
뿐 이
移 : 옮길 이
而 : 말 이을 이 ;
(≒爾)너 이
耳 : 귀 이 ;
(≒爾)뿐 이
益 : 더할 익
人 : 사람 인

仁 : 어질 인
刃 : 칼날 인
忍 : 참을 인 ; 차마할 인
因 : 인할 인
一 : 한 일
壹 : 한 일
日 : 날 일
入 : 들 입

ㅈ

子 : 아들/자식 자 ; 스승 자 ; 그대 자
慈 : 사랑 자
者 : 놈 자 ; 어조사 자
自 : 스스로 자 ; 부터 자
掌 : 맡을 장 ; 손바닥 장
齊 : 옷자락 자 ; 재계할 재 ; 가지런할 제 ; 제나라 제
作 : 지을 작
爵 : 벼슬 작 ; 참새 작
殘 : 잔인할 잔 ; 남을 잔
丈 : 어른 장
壯 : 씩씩할 장
將 : 장수 장 ; 장차 장 ; 가질 장
張 : 베풀 장
掌 : 손바닥 장 ; 맡을 장
牆 : 담 장
莊 : 씩씩할 장 ; 장원 장
葬 : 장사지낼 장
長 : 길 장 ; 어른 장
哉 : 어조사 재
在 : 있을 재
才 : 재주 재
財 : 재물 재
載 : 실을 재 ; (≒年)해 재 ; (≒戴)떠받들 대
齊 : 재계할 재 ; 옷자락 자 ; 가지런할 제 ; 제나라 제
爭 : 다툴 쟁
沮 : 막을 저
諸 : 어조사 저 ; 모두 제
敵 : 대적할 적
賊 : 해칠 적
積 : 쌓을 적
赤 : 붉을 적
適 : 맞을 적 ; 시집갈 적
傳 : 전할 전
全 : 온전할 전
前 : 앞 전
戰 : 싸움 전 ; 두려워할 전
田 : 밭 전 ; 사냥할 전
切 : 끊을 절 ; 온통 체
折 : 꺾을 절
節 : 마디 절
絶 : 끊을 절
丁 : 장정 정 ; 고무래 정
井 : 우물 정
定 : 정할 정
廷 : 조정 정
征 : 칠 정 ; 부세할 정 ; (≒正)바로잡을 정
情 : 뜻 정
梃 : 몽둥이 정
政 : 정사 정 ; (≒征)칠 정
正 : 바를 정 ; 정월 정
靜 : 고요할 정
制 : 절제할 제 ; (≒製)지을 제
弟 : 아우 제 ; (≒悌)공경할 제
悌 : 공경할 제
濟 : 건널 제
祭 : 제사 제
諸 : 모두 제 ; 어조사 저
齊 : 가지런할 제 ; 제나라 제 ; 옷자락 자 ; 재계할 재
助 : 도울 조
彫 : 새길 조
曹 : 무리 조
朝 : 아침 조 ; 조회할 조
趙 : 찌를 조
雕 : 독수리 조 ; (≒彫)아로새길 조
鳥 : 새 조
竈 : 부엌 조
足 : 발 족 ; 만족할 족 ; 지나칠 주
存 : 있을 존
尊 : 높을 존 ; (≒樽)술 그릇 준
宗 : 마루 종
從 : 좇을/쫓을 종 ; 부터 종
種 : 씨 종
終 : 마칠 종
縱 : 세로 종 ; 방종할 종
坐 : 앉을 좌
罪 : 허물 죄
足 : 지나칠 주 ; 발 족 ; 만족할 족
主 : 주인 주 ; 임금 주
周 : 두루 주
宙 : 집 주
州 : 고을 주
朱 : 붉을 주
舟 : 배 주
酒 : 술 주
峻 : 높을 준
尊 : (≒樽)술 그릇 준 ; 높을 존
中 : 가운데 중
仲 : 버금 중
衆 : 무리 중
重 : 무거울 중 ; 거듭 중
卽 : 곧 즉
則 : (≒卽)곧 즉 ; 법칙 칙
曾 : 일찍 증 ; (≒增)더할 증
之 : 어조사 지 ; 그것 지 ; 갈 지
地 : 땅 지
志 : 뜻 지 ; (≒誌)기록할 지
指 : 가리킬 지
支 : 지탱할 지 ; (≒枝)가지 지
智 : 지혜 지
枝 : 가지 지
止 : 그칠 지
知 : 알 지 ; (≒智)지혜 지
至 : 이를 지
直 : 곧을 직 ; 다만 직
晉 : 진나라 진 ; 나아갈 진
盡 : 다할 진
辰 : 별 진 ; 때 신
進 : 나아갈 진
疾 : 병 질 ; 빠를 질
執 : 잡을 집

ㅊ

且 : 또 차 ; 장차 차
差 : 다를 차
此 : 이 차
磋 : 갈 차
察 : 살필 찰
參 : 참여할 참 ; 석 삼
暢 : 화창할 창
采 : 채색 채 ; (≒採)캘 채
責 : 꾸짖을 책
妻 : 아내 처
處 : 곳 처 ; 거처할 처
尺 : 자 척
戚 : 친척 척 ; (≒慽)근심할 척
跖 : 밟을 척
千 : 일천 천
天 : 하늘 천
川 : 내 천
賤 : 천할 천
踐 : 밟을 천
諂 : 아첨할 첨
淸 : 맑을 청
聽 : 들을 청
請 : 청할 청
靑 : 푸를 청
切 : 온통 체 ; 끊을 절
體 : 몸 체
初 : 처음 초

楚 : 초나라 초
草 : 풀 초
燭 : 촛불 촉
寸 : 마디 촌
推 : 밀 추 ; 밀 퇴
皺 : 주름 추
秋 : 가을 추
追 : 좇을/쫓을 추
錐 : 송곳 추
瘳 : 병 나을 추
畜 : 가축 축 ; (≒蓄)쌓을 축 ; 기를 육
築 : 쌓을 축 ; 악기 이름 축
春 : 봄 춘
出 : 날 출
忠 : 충성 충
蟲 : 벌레 충
取 : 가질 취
就 : 나아갈 취 ; 곧 취
聚 : 모을 취
恥 : 부끄러울 치
治 : 다스릴 치
致 : 이를 치 ; 그만둘 치 ; 지극할 치
齒 : 이 치 ; 나이 치
則 : 법칙 칙 ; (≒卽)곧 즉
勅 : 삼갈 칙 ; 칙서 칙
親 : 친할 친 ; (≒新)새로울 신
七 : 일곱 칠
漆 : 옻 칠
枕 : 베개 침

ㅋ

快 : 쾌할 쾌

ㅌ

他 : 다를 타
琢 : 쪼을 탁
憚 : 꺼릴 탄
說 : (≒脫)벗을 탈 ; 말씀 설 ; 달랠 세 ; (≒悅)기뻐할 열
探 : 찾을 탐
貪 : 탐낼 탐
湯 : 끓일 탕 ; 탕임금 탕
大 : (≒太)클 태 ; 클 대
太 : 클 태
殆 : 위태로울 태 ; 거의 태
怠 : 게으를 태
泰 : 클 태 ; 편안할 태
宅 : 집 택 ; 댁 댁
擇 : 가릴 택
澤 : 못 택
兎 : 토끼 토
吐 : 토할 토
土 : 흙 토 ; 뿌리 두
推 : 밀 퇴 ; 밀 추

ㅍ

罷 : 마칠 파
八 : 여덟 팔
烹 : 삶을 팽
便 : 편할 편 ; 곧 변
偏 : 치우칠 편
鞭 : 채찍 편
褊 : 좁을 편
平 : 다스릴 평 ; 평평할 평
吠 : 짖을 폐
嬖 : 사랑할 폐
廢 : 폐할 폐
蔽 : 덮을 폐
哺 : 먹일 포
飽 : 배부를 포
瓢 : 바가지 표
分 : 단위 푼 ; 나눌 분
稟 : 여쭐 품 ; 곳집 름
風 : 바람 풍
彼 : 저 피
被 : 입을 피
避 : 피할 피
辟 : (≒避)피할 피 ; 임금 벽 ; (≒譬)비유할 비
匹 : 짝 필 ; 보통 필 ; 단위 필
必 : 반드시 필
畢 : 마칠 필

ㅎ

下 : 착수할 하 ; 아래 하
何 : 어찌 하
夏 : 여름 하 ; 하나라 하
河 : 물 하
霞 : 노을 하
學 : 배울 학
漢 : 한나라 한
閒 : 한가할 한
閑 : (≒閒)한가할 한
害 : 어느 할 ; 어찌 아니할 갈 ; 해할 해
陷 : 빠질 함
盍 : 덮을 합 ; (≒何不)어찌 아니할 합
巷 : 거리 항
恒 : 항상 항
行 : 항렬 항 ; 다닐 행
偕 : 함께 해
奚 : 어찌 해
害 : 해할 해 ; 어찌 아니할 갈 ; 어느 할
海 : 바다 해
幸 : 다행 행
行 : 다닐 행 ; 항렬 항
鄕 : 시골 향 ; (≒向)지난날 향
香 : 향기 향
虛 : 빌 허
獻 : 드릴 헌
奕 : 바둑 혁
見 : 뵈올 현 ; (≒現)나타날 현 ; 볼 견
賢 : 어질 현
顯 : 나타날 현
穴 : 구멍 혈
嫌 : 싫어할 혐
脅 : 겨드랑이 협 ; (≒翕)움추릴 협
兄 : 형 형
惠 : 은혜 혜
乎 : 어조사 호
呼 : 부를 호
好 : 좋을 호
毫 : 터럭 호
虎 : 범 호
護 : 도울 호
惑 : 미혹할 혹
或 : 혹 혹
婚 : 혼인할 혼
昏 : 어두울 혼 ; (≒婚)혼인할 혼
忽 : 갑자기 홀
鴻 : 기러기 홍
化 : 될 화
和 : 화할 화
火 : 불 화
禾 : 벼 화
花 : 꽃 화
貨 : 재물 화
獲 : 상심할 확 ; 얻을 획
患 : 근심 환
還 : 돌아올 환 ; (≒旋)돌 선
況 : 상황 황 ; 하물며 황
黃 : 누를 황
回 : 돌아올 회
恢 : 넓을 회
悔 : 뉘우칠 회
懷 : 품을 회
會 : 모일 회 ; 때마침 회
誨 : 가르칠 회
獲 : 얻을 획 ; 상심할 확
孝 : 효도 효
侯 : 제후 후 ; 어조사 후
厚 : 두터울 후
後 : 뒤 후 ; (≒后)임금 후
毁 : 헐 훼
畜 : 기를 휵 ; 가축 축 ; (≒蓄)쌓을 축
黑 : 검을 흑
旣 : (≒餼)쌀 희 ; 이미 기
氣 : (≒餼)보낼 희 ; 기운 기
喜 : 기쁠 희
噫 : 한숨 쉴 희

연습문제 풀이

Ⅱ. 三字~八字 풀이 패턴

1. 三字 풀이 패턴

1_ 德潤身 : 덕德이 몸을 윤택하게 하다.

2_ 上有天 : 위에는 하늘이 있다.

3_ 留人情 : 인정人情을 남기다.

4_ 如探湯 : 끓는 물을 더듬는 것과 같다.

2. 四字 풀이 패턴

5_ 事有終始 : 일에 끝과 시작이 있다.

6_ 約我以禮 : 예로 나를 요약하다.

7_ 教以詩書 : 시詩 서書로써(를) 가르치다.

8_ 近朱者赤 : 주사朱砂를 가까이하는 사람은 붉(어진)다.

9_ 順天者存 : 하늘을 따르는 자는 생존生存한다.

10_ 父慈子孝 : 아비는 사랑하고 자식은 효도孝道한다.

3. 五字 풀이 패턴

11_ 福生於清儉 : 복은 청렴과 검소함에서 생긴다.

12_ 家和萬事成 : 집안이 화목하면 모든 일이 이루어진다.

13_ 惡似而非者 : 비슷하지만 아닌 것을 싫어하다.

14_ 瓜田不納履 : 오이 밭에서는 신을 신지 말라.

15_ 一日不念善 : 하루동안 선을 생각하지 않다.

16_ 父在觀其志 : 부모가 (살아)계실 때는 그 자식의 뜻을 보다.

17_ 子孝父心寬 : 자식이 효도하면 부모의 마음이 너그럽다.

4. 六字 풀이 패턴

18_ 子柳子思爲臣 : 자류子柳와 자사子思가 신하臣下가 되다.

19_ 耳不聞人之非 : 귀로 남의 잘못을 듣지 않다.

20_ 剛毅木訥近仁 : 강하고 굳세고 질박하고 어눌함이 인에 가깝다.

21_ 求古聖賢用心 : 옛날 성현들의 마음 씀씀이를 바라다.

22_ 無不知愛其親 : 제 어버이를 사랑할 줄을 알지 못함이 없다.

23_ 一日克己復禮 : 하루라도 자기를 이겨서 예로 돌아가다.

24_ 出必告反必面 : 나가면 반드시 고하고, 돌아오면 반드시 뵈어라.

5. 七字 풀이 패턴

25_ 一寸光陰不可輕 : 아주 짧은 시간도 가벼이 여길 수 없다.(여겨서는 안된다)

26_ 寡人之民不加多 : 과인의 백성이 더 많아지지 않다.

27_ 松柏可以耐雪霜 : 소나무와 잣나무는 눈과 서리를 견뎌낼 수 있다.

28_ 世上應無切齒人 : 세상에 응당 이를 가는 이가 없을 것이다.

29_ 老萊子孝奉二親: : 노래자가 효성孝性으로 양친兩親을 봉양奉養하다.

30_ 能行五者於天下 : 다섯 가지를 천하에 행할 수 있다.

31_ 問克己復禮之目 : 자기의 욕심을 이기고 예로 돌아가는 조목을 묻다.

潤 불을 윤　湯 끓을 탕　儉 검소할 검　似 닮을 사　納 들일 납　履 밟을 리　剛 굳셀 강　毅 굳셀 의
訥 말더듬거릴 눌　克 이길 극　寡 적을 과　柏 측백 백　耐 견딜 내　切 끊을 절

6. 八字 풀이 패턴

32_ 徐行後長者謂之弟 : 천천히 걸어〔徐行〕 어른 뒤에 오는 것을 그것을 공경이라 이른다.

33_ 不經一事不長一智 : 한 가지 일을 겪지 않으면 한 가지 지혜智慧가 자라지 않는다.

34_ 今士大夫家多忽此 : 지금 사대부 집안들이 이것을 소홀疏忽히 함이 많다.

35_ 天下之士多就之者 : 천하의 선비들이 그를 찾아가는 이가 많다.

36_ 川澤多無益之蟲魚 : 냇물과 연못에 무익한 벌레와 물고기가 많다.

Ⅲ. 공통 기본 패턴

1. 서술의 패턴

37_ 恭近於禮면 遠恥辱也라 : 공손함이 예에 가까우면 치욕을 멀리할 수 있다.

38_ 中者는 天下之正道라 : 중中은 천하의 바른 도〔正道〕이다.

39_ 大人者는 不失其赤子之心者也니라 : 대인은 어린아이의 마음을 잃지 않는 자이다.

2. 접속의 패턴

40_ 過而不改 是謂過矣니라 : 잘못 하고도 고치지 않는 것 이것을 잘못이라 이른다.

41_ 夫樹欲靜而風不止하고 子欲養而親不待라 : 무릇 나무는 고요하려 하나 바람이 멈추지 않고, 자식은 봉양하려 하나 어버이가 기다리지 않는다.

42_ 良藥은 苦於口나 而利於病이요 忠言은 逆於耳나 而利於行이라 : 좋은 약〔良藥〕은 입에 쓰나 병에 이롭고 충성스러운 말은 귀에 거슬리나 행동에 이롭다.

43_ 擇其善者而從之요 其不善者而改之니라 : 그 선한 사람을 가려서 그를 따르고, 그 선하지 않은 것을 가려서 그것을 고친다.

44_ 旣不能令하고 又不受命이면 是는 絶物也라 : 이미 명령할 수 없으면서 또 명령을 받을 수 없으면, 이는 남을 끊는 것이다.

45_ 水連天共碧이요 風與月雙淸이라 : 물은 하늘과 맞닿아 함께 푸르고, 바람은 달과 함께 맑구나.

3. '之'의 패턴

46_ 行惡之人은 如磨刀之石이라 : 악을 행하는 사람은 칼을 가는 돌과 같다.

47_ 伯夷는 聖之淸者也요 伊尹은 聖之任者也요 柳下惠는 聖之和者也요 孔子는 聖之時者也시니라 : 백이伯夷는 성인 가운데 맑은 사람이고, 이윤伊尹은 성인 가운데 자임한 사람이고, 유하혜柳下惠는 성인 가운데 조화로운 사람이고, 공자는 성인 가운데 때에 알맞게 한 사람이다.

48_ 君子之於天下也에 無適也하며 無莫也라 : 군자가 천하에 있어서 오로지 함〔適〕도 없으며 하지 않는 것도 없다.

49_ 孝子之事親에 居則致其敬이라 : 효도하는 자식이 부모를 섬길 때에 거처할 때에는 그 공경을 다한다.

50_ 見人之善이어든 而尋己之善하라 : 남의 착한 점을 보고서 나의 착한 점을 찾아본다.

51_ 梁惠王曰 寡人之於國也에 盡心焉耳矣라 : 양나라 혜왕이 말하였다. "과인이 나라에 대하여 거기에 마음을 다할 뿐이다."

4. '以'의 패턴

52_ 君子는 以文會友하고 以友輔仁이니라 : 군자는 학문으로 벗을 모으고 벗으로 인을 돕는다.

53_ 生事之以禮하며 死葬之以禮하며 祭之以禮니라 : 살아계실 적에 예로 섬기고 돌아가시면 예로 장사지내고 예로 제사지낸다.

徐 천천할 서　謂 이를 위　智 슬기/지혜 지　忽 갑자기 홀　澤 못 택　擇 가릴 택　碧 푸를 벽
雙 쌍 쌍;함께　磨 갈 마　伯 맏 백　夷 오랑캐 이　伊 저 이　尹 다스릴 윤　任 맡길 임　梁 들보 량
焉 어조사 언　輔 도울 보　葬 장사지낼 장　爾 너 이　曹 무리 조　積 쌓을 적　窮 다할 궁　踐 밟을 천

54_ 爾曹는 但常以責人之心으로 責己하라 : 너희들은 다만 항상 남을 꾸짖는 마음으로 자기를 꾸짖어라.

55_ 積書以遺子孫이라 : 책을 쌓아서 자손에게 남기다.

56_ 居敬以立其本하며 窮理以明乎善하며 力行以踐其實이니 三者는 終身事業也니라 : 공경에 거하여 그 근본을 세우고 이치를 궁구하여 선을 밝히고 힘써 행하여 그 진실을 실천해야 하니 세 가지는 몸을 마칠 때까지 사업이다.

5. '以爲'의 패턴

57_ 惡衣惡食을 深以爲恥라 : 나쁜 옷과 나쁜 음식을 매우 부끄럽다 여기다.

58_ 爲仁은 以孝弟爲本이라 : 인을 행함은 효와 제로 근본을 삼는다.

59_ 寡人之囿는 方四十里로되 民이 猶以爲大는 何也잇고 : 과인의 동산은 사방 사십리인데 백성이 오히려 크다고 생각하니 어째서인가.

60_ 不以利爲利요 以義爲利也니라 : 이利를 이롭게 여기지 않고 의義를 이롭게 여긴다.

61_ 無憂者는 其惟文王乎신저 以王季爲父하시고 以武王爲子하시니 父作之어시늘 子述之하시니라 : 근심이 없는 사람은 아마도 오직 문왕일 것이다. 왕계를 아버지로 삼고 무왕을 아들로 삼으시니 아버지가 그것을 일으키고 아들이 그것을 계승하였다.

62_ 子路聞善이면 勇於必行하니 門人이 自以爲弗及也라 : 자로는 좋은 말을 들으면 반드시 실행하는 데 용감하니, 문인들이 스스로 미칠 수 없다 여겼다.

63_ 伯夷叔齊遜國而逃하고 諫伐而餓호되 終無怨悔하니 夫子以爲賢이라 : 백이·숙제는 나라를 사양하다가 도망하였고, 정벌을 간하다가 굶주려 죽었으나 끝내 후회가 없었는데, 선생님께서 그들을 어질게 여기셨다.

6. '所'의 패턴

64_ 察其所安이라 : 편안히 여기는 바를 살핀다.

65_ 君子無所爭이라 : 군자는 다투는 것이 없다.

66_ 由是觀之면 則君子之所養을 可知已矣니라 : 이로 말미암아 살펴보면 군자가 기르는 것을 알 수 있을 것이다.

67_ 水逆行하여 氾濫於中國하여 蛇龍이 居之하니 民無所定이라 : 물이 역류하여 중국에 범람하여 뱀과 용이 사니 백성이 정착할 곳이 없었다.

68_ 侍飮於長者할새 酒進則起하여 拜受於尊所하되 : 나이 많은 사람을 모시고 술을 마실 때 술이 나오면 일어나서 술통이 있는 곳에 절하고 받는다.

7. '所以'의 패턴

69_ 曰 敢問其所以異 : 말하였다. "감히 그 다른 점을 묻노라."

70_ 孝者는 所以事君也요 弟者는 所以事長也요 慈者는 所以使衆也니라 : 효는 임금을 섬기는 것이다. 공경은 어른을 섬기는 것이다. 사랑은 무리를 부리는 것이다.

71_ 此又學校之敎에 大小之節이 所以分也라 : 이것이 또한 학교의 가르침에 크고 작은 절차가 나누어진 까닭이다.

72_ 君子所以爲君子는 以其仁也라 : 군자가 군자되는 까닭은 인仁 때문이다.

73_ 方里而井이니 井이 九百畝니 其中이 爲公田이라 八家皆私百畝하여 同養公田하여 公事畢然後에 敢治私事하니 所以別野人也니라 : 사방 1리가 정이니, 정은 9백 묘이니, 그 가운데가 공전이다. 여덟 집에서 모두 100묘를 사전으로 받아서 함께 공전을 가꾸어, 공전의 일을 끝마친 다음에 감히 사전의 일을 다스리니, 이는 야인을 구별한 방법이다.

恥 부끄러울 치　囿 동산 유　惟 오직 유　弗 아닐 불　伯 맏 백　夷 오랑캐 이　齊 가지런할 제
遜 겸손할 손　逃 도망할 도　諫 간할 간　餓 주릴 아　悔 뉘우칠 회　氾 넘칠 범　濫 넘칠 람
蛇 긴뱀 사　龍 용 룡　侍 모실 시　畝 이랑 묘　畢 마칠 필　儒 선비 유　孟 맏 맹

8. '謂, 曰, 云'의 패턴

74_ 子謂子夏曰 女爲君子儒요 無爲小人儒하라 : 공자가 자하에게 일러 말하였다. "너는 군자다운 선비가 되고 소인 같은 선비가 되지 말라."

75_ 孟子謂宋句踐曰 子好遊乎아 吾語子遊호리라 : 맹자가 송구천에게 일러 말하였다. "그대는 유세를 좋아하는가? 내가 그대에게 유세에 대해 말하겠다."

76_ 子謂仲弓曰 犁牛之子 騂且角이면 雖欲勿用이나 山川이 其舍諸아 : 공자가 중궁을 평하여 말하였다. "얼룩소[犁牛]의 새끼가 붉고 또 뿔도 있다면 비록 쓰지 않으려 하나 산천〈의 신〉이 어찌 그것을 버려두겠는가?"

77_ 徐行後長者를 謂之弟요 疾行先長者를 謂之不弟라 : 천천히 가면서 어른을 뒤따르는 것, 그것을 공손함[弟]이라 이르고, 빨리 가면서 어른을 앞서는 것, 그것을 공손하지 못함[不弟]이라 이른다.

78_ 庶幾有補於風化之萬一云爾니라 : 풍속風俗 교화敎化에 만에 하나에라도 보탬이 있기를 바란다 이를 뿐이다.

79_ 初學之士 或有取焉이면 則亦庶乎行遠升高之一助云爾니라 : 처음 배우는 선비가 혹시라도 여기에서 취할 것이 있다면, 그래도 먼 곳에 가거나 높은 곳에 오르는 하나의 도움이기를 바란다고 이를 뿐이다.

9. 시간의 패턴

80_ 古者에 十五而入大學이라 : 옛날에는 15세에 대학에 들어갔다.

81_ 曩者에 使女狗白而往하여 黑而來면 子豈能毋怪哉리오 : 지난번에 만약 너의 개가 하얗게 나갔다가 까맣게 되어 왔다면, 자네는 어찌 이상하게 생각하지 않을 수 있었겠느냐?

82_ 克己復禮하면 久而誠矣리라 : 자기 〈사욕을〉 이겨서 예에 돌아가면 오래토록 진실할 것이다.

83_ 旣而供其母하고 自以草蔬로 與客同飯이라 : 잠시 뒤에 그 어머니에게 공양하고 스스로는 나물 반찬으로 손님과 함께 먹었다.

84_ 俄而曰 與若芧한대 朝四而暮三이면 足乎아 : 얼마 있다가 "그러면 너희들에게 도토리를 주는데, 아침에는 네 개, 저녁에는 세 개면 풍족하겠지?"

85_ 大孝는 終身慕父母하나니 五十而慕者를 予於大舜에 見之矣로라 : 위대한 효는 생을 마치도록 부모를 사모하니 나이 오십이 되어서도 사모하는 자를 나는 위대한 순임금에게서 보았다.

10. 범위·이동의 패턴

86_ 自生民以來로 未有盛於孔子也시니라 : 사람이 태어난 이래로 공자보다 성대盛大한 사람은 있지 않았다.

87_ 往往에 自幼至長히 愚騃如一하니 由不知成人之道故也니라 : 때때로 어렸을 때부터 장성함에 이르도록 우매하고 어리석음이 한결같으니 성인成人의 도를 알지 못하는 까닭이다.

88_ 子曰 自行束脩以上은 吾未嘗無誨焉이로라 : 공자가 말하였다. "포 한 묶음[束脩]의 예를 행한 것부터 이상은 내 일찍이 그를 가르치지 않은 적이 없었다."

89_ 自是以來로 聖聖相承이라 : 이때 이후로 성인과 성인이 서로 계승繼承했다.

90_ 自天子達於庶人하여 三代共之하니라 : 천자로부터 서인에 이르러 삼대(하夏·은殷·주周)가 공통이었다.

91_ 由孔子而來로 至於今이 百有餘歲라 : 공자로부터 이후로 오늘에 이르기까지[至今] 백하고 또 몇 해이다.

仲 버금 중　犁 얼룩소 리　騂 붉은소 성　疾 빠를 질　補 도울 보　爾 뿐 이　焉(≒於此) 어조사 언
升(≒昇) 오를 승　曩 지난번 낭　狗 개 구　毋 말 무　怪 괴이할 괴　供 이바지할 공　蔬 나물 소
俄 잠깐 아　慕 사모할 모　予 나 여　舜 순임금 순　騃 어리석을 애　束 묶을 속　脩 길 수
嘗 일찌기 상　誨 가르칠 회　遂 드디어 수　鼠 쥐 서

11. 도치의 패턴

92_ 天下之尊에 莫我若也라하고 遂婚於野鼠라 : "천하의 높은 자 중에 우리만 한 자가 없다."라 하고, 마침내 쥐와 혼인했다.

93_ 子曰 君子는 病無能焉이요 不病人之不己知也니라 : 공자가 말하였다. "군자는 자기에게서 잘할 수 없음을 병으로 여기고 남이 나를 알아주지 않음을 병으로 여기지 않는다."

94_ 不偏之謂中이요 不易之謂庸이라 : 치우치지 않는 것을 중中이라 이르고 바뀌지 않는 것을 용庸이라 이른다.

95_ 然則一羽之不擧는 爲不用力焉이며 輿薪之不見은 爲不用明焉이며 百姓之不見保는 爲不用恩焉이니 : 그렇다면 하나의 털을 들지 못함은 힘을 쓰지 않았기 때문이다. 수레의 땔감을 보지 않음은 눈을 사용하지 않았기 때문이다. 백성이 보호받지 않음은 은혜를 베풀지 않았기 때문이다

96_ 尺璧非寶요 寸陰是競하라 : 한 자의 구슬이 보배가 아니고, 한 치의 짧은 시간을 다투어야 한다.

Ⅲ. 문장 유형별 패턴 1

1. 가능의 패턴

97_ 豈可是己而非人 : 어찌 자기만 옳다 하고 남을 그르다고 할 수 있겠는가?

98_ 貧賤之交는 不可忘이니라 : 가난하고 천했을 때의 사귐은 잊어서는 안된다.

99_ 固不可求之於外面이라 : 진실로 외면에서 구할 수 있는 것이 아니다.

100_ 眸子不能掩其惡 : 눈동자는 자신의 악惡을 숨길 수 없다.

101_ 言不得不簡이라 : 말이 간략하지 않을 수 없다.

102_ 仰不足以事父母하며 俯不足以畜妻子라 : 위로는 부모를 섬길 수 없고 아래로는 처자식을 기를 수 없다.

103_ 趙孟之所貴를 趙孟이 能賤之니라 : 조맹이 귀하게 해준 것 그것을 조맹이 천하게 할 수 있다.

2. 부정의 패턴

104_ 天不生無祿之人이라 : 하늘은 녹 없는 사람을 낳지 않는다.

105_ 才或不足은 非所患也라 : 재주가 혹 부족한 것은 근심할 바가 아니다.

106_ 及其長也하여는 無不知敬其兄也라 : 그 장성함에 미쳐서는 제 형을 공경할 줄 알지 못하는 이가 없다.

107_ 日月逝矣라 歲不我延이니 嗚呼老矣라 : 세월[日月]이 가는구나 세월은 우리를 기다려주지 않으니 아아 늙었도다.

3. 금지의 패턴

108_ 讐怨을 莫結하라 : 원수를 맺지 말라.

109_ 勿以貴己而賤人하라 : 자기를 귀하게 여겨서 남을 천하게 여기지 말라.

110_ 善事는 須貪하고 惡事는 莫樂하라 : 선한 일은 모름지기 탐내고 악한 일은 즐겨하지 말라.

111_ 無用之辯과 不急之察을 棄而勿治하라 : 쓸데 없는 변론辯論과 급하지 않은 살핌은 버려두고 다스리지 말라.

112_ 父母在어시든 不遠遊하며 遊必有方이니라 : 부모가 〈살아〉계시면 멀리 가서 놀지 말며, 놀더라도 반드시 일정한 장소가 있어야 한다.

113_ 施恩이어든 勿求報하고 與人이어든 勿追悔하라 : 은혜를 베풀면 보답을 구하지 말고, 남에게 주면 후회하지 말라.

偏 치우칠 편 庸 떳떳할 용 羽 깃 우 輿 수레 여 薪 섶 신 璧 구슬 벽 眸 눈동자 모 掩 가릴 엄
簡 간소할 간 俯 구부릴 부 畜 기를 휵 趙 나라 조 祿 녹 록 逝 갈 서 延 늘일 연 嗚 슬플 오
讐 원수 수 貪 탐낼 탐 辯 말잘할 변 棄 버릴 기 夷 오랑캐 이

4. 의문·반어의 패턴

114_ 伯夷叔齊는 何人也잇고 : 백이伯夷와 숙제叔齊는 어떤 사람입니까?

115_ 身旣不孝면 子何孝焉이리오 : 자신自身이 이미 효도하지 않으면 자식이 어찌 효도하겠는가.

116_ 如有博施於民而能濟衆혼댄 何如하니잇고 : 만일 백성에게 널리 베풀어 많은 사람을 구제할 수 있다면 어떠한가.

117_ 不曰如之何如之何者는 吾末如之何也已矣니라 : 그것을 어찌할까 어찌할까 말하지 않는 사람은 나도 어찌할 수 없구나.

118_ 定公이 問 君使臣하며 臣事君호되 如之何잇고 : 정공이 물었다. "임금이 신하를 부리며, 신하가 임금을 섬김에 어찌해야 합니까?"

119_ 王欲行之시면 則盍反其本矣니잇고 : 왕이 그것을 시행하고자 한다면, 어찌 그 근본을 돌아보지 않는가?

120_ 學은 在己하고 知不知는 在人하니 何慍之有리오 : 학문學問은 자신에게 달려 있고, 알아주고 알아주지 않음은 남에게 달려 있으니, 어찌 서운해 할 것이 있겠는가.

121_ 君子居之면 何陋之有리오 : 군자가 그곳에 거주하면 무슨 궁벽함이 있겠는가?

5. 비교의 패턴

122_ 百聞이 不如一見이라 : 백번 듣는 것이 한 번 보는 것만 못하다.

123_ 人性如水라 : 사람의 성품이 물과 같다.

124_ 不義而富且貴는 於我如浮雲이니라 : 의롭지 않으면서 부유하고 또 귀함은 나에게 뜬구름과 같다.

125_ 賜子千金이 不如教子一藝니라 : 자식에게 천금을 주는 것이 자식에게 한 기술을 가르치는 것만 못하다.

126_ 遠水는 不救近火요 遠親은 不如近隣이니라 : 먼 곳의 물은 가까이 난 화재를 구하지 못하고 먼 곳의 친척은 가까운 이웃만 못하다.

127_ 子曰 知之者 不如好之者요 好之者 不如樂之者니라 : 공자가 말하였다. "아는 사람은 좋아하는 사람만 못하고 좋아하는 사람은 즐기는 사람만 못하다.

128_ 至樂은 莫如讀書요 至要는 莫如教子니라 : 지극히 즐거운 것은 책을 읽는 것만 한 것이 없고 지극히 중요한 것은 자식을 가르치는 것만 한 것이 없다.

129_ 入道는 莫先於窮理하고 窮理는 莫先乎讀書라 : 도에 들어감은 이치理致를 궁구窮究하는 것보다 앞서는 것이 없고, 이치를 궁구하는 것은 책을 읽는 것보다 앞서는 것이 없다.

130_ 晉國이 天下에 莫強焉은 叟之所知也라 : 진나라가 천하에서 그보다 강함이 없음은 노인장이 아는 바이다.

131_ 人固有一死나 或重於泰山이요 或輕於鴻毛라 : 사람은 본디 한 번 죽음이 있으나, 〈그 죽음이〉 혹은 태산보다 무겁고, 혹은 기러기 털보다 가볍다.

6. 비교·선택의 패턴

132_ 與其有聚斂之臣으론 寧有盜臣이라 : 세금을 거두는 신하를 두기 보다는 차라리 도적질 하는 신하를 두는 것이 낫다.

133_ 與其媚於奧론 寧媚於竈라하니 何謂也잇고 : 그 아랫목 신에게 아첨하는 것보다 차라리 부엌 귀신에게 아첨한다 하니 무엇을 말하는 것인가.

134_ 與其得罪於鄉黨州閭론 寧孰諫이라 : 마을에서 죄를 얻기 보다는 차라리 충분히 간언하겠다.

135_ 爲肥甘이 不足於口與며 輕煖이 不足於體與잇가 抑爲采色이 不足視於目與며 聲音

博 넓을 박　濟 구제할 제　盍 어찌 아니할 합　慍 성낼 온　陋 더러울 루　賜 줄 사　隣 이웃 린
晉 나라 진　叟 늙은이 수　鴻 기러기 홍　聚 모을 취　斂 거둘 렴　寧 편안 녕　盜 도둑 도
媚 아첨할/예쁠 미　奧 깊을 오　竈 부엌 조　黨 무리 당　閭 마을 려　孰 누구 숙　諫 간할 간
肥 살찔 비　煖 따뜻할 난　抑 아니 억　采 풍채 채　嬖 사랑할 폐　築 쌓을 축　跖 발바닥 척　粟 조 속

이 不足聽於耳與며 便嬖不足使令於前與잇가 : 살찌고 단 것이 입에 충분하지 않기 때문인가? 가볍고 따뜻함이 몸에 충분하지 않아서인가? 아니면 채색이 눈에 충분하게 보이지 않기 때문인가? 좋은 소리가 귀에 충분하게 들리지 않아서인가? 총애하는 자들을 앞에서 부리기에 충분하지 못해서인가?

136_ 仲子所居之室은 伯夷之所築與아 抑亦盜跖之所築與아 所食之粟은 伯夷之所樹與아 抑亦盜跖之所樹與아 : 중자가 지내는 바의 집은 백이가 지은 것인가? 아니면 도척이 지은 것인가? 먹는 바의 곡식이 백이가 심은 것인가? 아니면 도척이 심은 것인가

Ⅳ. 문장 유형별 패턴 2

1. 피동의 패턴

137_ 今人이 多是被養於父母하고 不能以己力養其父母하니 : 지금 사람들은 대부분 부모에게 양육을 받기만 하고 자기 힘으로 그 부모를 봉양하지 못한다.

138_ 盆成括이 見殺이어늘 門人이 問曰 夫子何以知其將見殺이시니잇고 : 분성괄盆成括이 죽임을 당하자 문하門下의 사람들이 물어 말하였다. "선생은 무엇으로 그가 장차 죽임을 당할 것을 알았는가?"

139_ 人情은 皆爲窘中疎니라 : 사람의 정情은 모두 가난한 가운데서 소원해지게 된다.

140_ 大丈夫當容人이언정 無爲人所容이니라 : 대장부는 마땅히 남을 용서할지언정 남에게 용서받는 사람이 되어서는 안 된다.

141_ 若責以理學이면 則曰 我爲科業所累하여 不能用功於實地라 : 만약 이학理學으로 책망하면 곧 말하기를 "나는 과거 공부에 얽매이는 바 되어서 실지에 힘을 쓸 수 없다."라고 한다.

142_ 但爲氣稟所拘와 人欲所蔽면 則有時而昏이라 : 다만 기품에 구애받고 인욕人欲에 가려지면 때때로 어두워진다.

2. 사동의 패턴

143_ 使民戰栗이라 : 백성들로 하여금 두려워 떨게 하려는 것이었다.

144_ 由也는 千乘之國에 可使治其賦也어니와 不知其仁也로라 : 유[子路]는 천승의 나라에 그 군정을 다스리게 할 수 있으나 그 어진지는 알지 못하겠다.

145_ 雍也는 可使南面이로다 : 옹[仲弓]은 남면南面하게 할 만하다.

146_ 赤也는 束帶立於朝하여 可使與賓客言也어니와 不知其仁也로라 : 적赤은 띠를 띠고 조정에 서서 빈객과 함께 이야기하게 할 수 있으나 그 인仁한지는 알지 못하겠다.

147_ 吾王之好鼓樂이여 夫何使我로 至於此極也오 : 우리 왕이 음악을 연주하기를 좋아하는구나! 대저 어찌 나로 하여금 이 곤궁함에 이르게 하는가?

148_ 姑舍女所學하고 而從我라하시면 則何以異於教玉人彫琢玉哉잇고 : 우선 네가 배운 것을 버려두고 나를 따르라 말하면 옥인으로 하여금 옥을 다듬고 조각하게 하는 것과 어떤 것이 다르겠는가?

149_ 夜則令瞽誦詩하며 道正事하더니라 : 밤이면 맹인盲人으로 하여금 시를 외우며 바른 일을 말하게 하였다.

3. 가정·조건의 패턴

150_ 獲罪於天이면 無所禱也니라 : 하늘에 죄를 얻으면 빌 곳이 없다.

151_ 貧若勤學이면 可以立身이라 : 가난하면서 만약 부지런히 배운다면 몸을 세울 수 있을 것이다.

152_ 水一傾則不可復이요 性一縱則不可反이라 : 물은 한 번 엎질러지면 회복할 수 없고 성품은

被 입을 피　盆 동이 분　括 묶을 괄　窘 군색할 군　疎 성길 소　丈 어른 장　累 연루될 루　稟 받을 품
蔽 가릴 폐　昏 어두울 혼　栗 두려울 률　賦 부세 부　雍 화(和)할 옹　帶 띠 대　鼓 북 고　姑 우선 고
瞽 소경 고　誦 욀 송　俾 하여금 비　獲 얻을 획　禱 빌 도　傾 기울 경　縱 방종할 종　斯 어조사 사

한 번 방종해지면 되돌릴 수 없다.

153_ **觀過**면 **斯知仁矣**니라 : 잘못을 보면 인仁을 알 수 있다.

154_ **君行仁政**하시면 **斯民**이 **親其上**하여 **死其長矣**리이다 : 임금이 어진 정사〔仁政〕를 행하시면 곧 백성들은 그 윗사람을 친애〔親上〕하여 그 어른을 위해 죽을 것〔死長〕입니다.

155_ **信能行此五者**면 **則鄰國之民**이 **仰之若父母矣**리이다 : 진실로 이 다섯 가지를 행할 수 있다면 이웃 나라의 백성들이 우러러 보기를 마치 부모와 같이할 것이다.

156_ **苟使吾志**로 **誠在於學**이면 **則爲仁由己**라 : 만일 나의 뜻이 진실로 배움에 있게 한다면 인을 행하는 일은 자기에게 말미암는다.

157_ **無惻隱之心**이면 **非人也** **無羞惡之心**이면 **非人也**며 **無辭讓之心**이면 **非人也**며 **無是非之心**이면 **非人也**니라 : 측은해 하는 마음〔惻隱之心〕이 없으면 사람이 아니며, 부끄러워하고 미워하는 마음〔羞惡之心〕이 없으면 사람이 아니며, 사양하는 마음〔辭讓之心〕이 없으면 사람이 아니며, 옳고 그름을 따지는 마음〔是非之心〕이 없으면 사람이 아니다.

4. 한정의 패턴

158_ **濫想**은 **徒傷神**이라 : 지나친 생각은 다만 정신을 해친다.

159_ **惟仁者**아 **能好人**하며 **能惡人**이니라 : 오직 어진 사람이어야 사람을 좋아할 수 있고 사람을 미워할 수 있다.

160_ **夫子之道**는 **忠恕而已矣**시니라 : 부자의 도는 충忠과 서恕일 뿐이다.

161_ **君子**는 **求其在己者而已矣**니라 : 군자는 자신에게 있는 것을 구할뿐이다.

162_ **爲學**이 **在於日用行事之間**하니 **若於平居**에 **居處恭**하며 **執事敬**하며 **與人忠**이면 **則是名爲學**이니 **讀書者**는 **欲明此理而已**니라 : 학문함이 일상에 작용하고 일을 행하는 사이에 있으니 만약 평소 거처할 적에 거주하여 처신함을 공손히 하고 일을 집행함을 공경히 하고 남과 더불기를 충실히 하면 이를 이름하여 학문이라 하니 책을 읽는 것은 이 이치를 밝히고자 할 뿐이다.

5. 감탄의 패턴

163_ **君子博學於文**이요 **約之以禮**면 **亦可以弗畔矣夫**인저 : 군자가 문을 널리 배우고 예로 그것을 요약한다면〔博文約禮〕 또한 어긋나지 않을 수 있을 것이다.

164_ **子謂子賤**하사대 **君子哉**라 **若人**이여 : 공자가 자천子賤을 평하였다. "군자답다! 이러한 사람은!"

165_ **子曰 中庸之爲德也 其至矣乎**인저 **民鮮**이 **久矣**니라 : 공자가 말하였다. "중용의 덕됨이 그 지극하구나! 사람들이 드문지 오래되었구나."

166_ **子曰 賢哉**라 **回也**여 **一簞食**와 **一瓢飮**으로 **在陋巷**을 **人不堪其憂**어늘 **回也不改其樂**하니 **賢哉**라 **回也**여 : 공자가 말하였다. "어질구나! 안회여. 한 대그릇의 밥과 한 표주박의 물로 누추陋醜한 마을에 있는 것을 사람들은 그 근심을 견디지 못하는데, 안회顔回는 그 즐거움을 고치지 않으니 어질구나! 안회여."

167_ **固哉**라 **高叟之爲詩也**여 : 고루하구나! 고수高叟의 시를 해석함이여.

168_ **善如**라 **爾之問也**여 **善如**라 **爾之問也**여 : 좋다! 너의 물음이여. 좋다! 너의 물음이여!

169_ **鬼神之爲德**이 **其盛矣乎**인저 : 귀신의 덕됨이 그렇게 성대盛大하구나.

鄰 이웃 **린** 苟 만일 **구** 羞 부끄러울 **수** 辭 말씀 **사** 濫 넘칠 **람** 惟 오직 **유** 恕 용서할 **서**
博 넓을 **박** 弗 아닐 **불** 畔 어긋날 **반** 鮮 드물 **선** 簞 소쿠리 **단** 食 밥 **사** 瓢 표주박 **표**
陋 더러울 **루** 巷 거리 **항** 堪 견딜 **감** 鬼 귀신 **귀**

출전 약해

(본문 및 연습문제 모두 포함, 가나다순)

서명	약해
擊蒙要訣	조선 시대에, 율곡栗谷 이이李珥가 한문으로 지은 어린이용 학습서.
啓蒙篇	조선 중종 때에, 박세무朴世茂가 쓴 어린이 학습서. 오륜五倫의 요의要義를 간결하게 서술하고, 중국과 조선의 세계世系와 개략적인 역사를 덧붙임.
高麗史節要	조선 문종文宗 2년(1452) 김종서金宗瑞 등 엮은 역사서. 고려시대의 역사를 편년체編年體로 기록함.
古文眞寶	중국 송나라 말기에 황견黃堅이 주周나라 때부터 송나라 때까지의 시문詩文을 모아 엮은 책. 전집前集에는 시詩, 후집後集에는 문文을 실음.
論語/ 論語集註	유교 경전 중 가장 대표적인 책으로서, 공자孔子의 언행과 제자들과의 문답 등이 실려 있음. ≪논어집주≫는 그 주석서.
訥隱集	조선 후기 문신 이광정李光庭의 시문집.
大學/ 大學章句	유교 경전인 사서四書의 하나. 공자의 유서遺書라는 설과 자사 또는 증자의 저서라는 설이 있음. 본디 ≪예기≫의 한 편篇. ≪대학장구≫는 그 주석서.
道德經	중국 도가철학의 시조인 노자老子가 지었다고 전해지는 책. 약 5,000자, 81장으로 되어 있으며, 일반적으로 상편 37장의 내용을 〈도경道經〉, 하편 44장의 내용을 〈덕경德經〉이라고 함.
童蒙先習	편찬자編纂者 미상未詳의 우리나라 옛 시대時代 초학 교재敎材임.
東文選	신라부터 조선 숙종까지의 시문詩文을 모아 엮은 책. 조선 성종 9년 1478에 서거정이 편찬한 정편正編과 중종, 숙종 때 편찬한 속편續編 21권이 있음.
東言解	조선 후기 저자著者 미상未詳의 속담집俗談集. ≪공사항용록公私恒用錄≫에 수록되어 있음.
孟子/ 孟子集註	유교 경전인 사서四書의 하나. 맹자와 그 제자들의 대화 따위를 기술한 것으로, 7편으로 이루어짐.
明心寶鑑	조선 시대 어린이의 인격 수양을 위한 한문 교양서. 중국 명明나라의 범립본范立本이 편찬함.
蒙求	당나라 때의 학자 이한李瀚이 지은 문자교육용 아동교재. 조선시대 일반 선비가문에서 아동용 교재로 널리 사용함.
文選	중국 양나라의 소명 태자 소통蕭統이 엮은 시문집. 주周나라에서 양梁나라에 이르는 1,000년 동안 130여 명이 지은 문장文章과 시부詩賦를 수록함.

史記	중국 한나라의 사마천이 상고上古의 황제로부터 전한前漢 무제까지의 역대 왕조의 사적을 엮은 역사책.
四字小學	우리 조상들이 어린이에게 한자를 가르치기 위하여 엮은 기초한문 교과서.
三國志	진晉나라의 학자 진수陳壽가 편찬. 《사기史記》《한서漢書》《후한서後漢書》와 함께 중국 전사사前四史로 불림.
西厓集	선조 때의 문신 유성룡柳成龍의 시문집.
說苑	전한前漢 때 유향劉向이 편찬編纂한 일화집逸話集. 현인賢人들의 일화逸話가 수록收錄되어 있음
小學	송나라의 유자징劉子澄이 주희의 가르침으로 지은 초학자들의 수양서. 예법과 격언, 사적事績 따위를 고금古今의 책에서 뽑음.
孫子	오나라의 손무孫武가 지은 병서兵書.
旬五志	숙종肅宗 때 홍만종洪萬宗 지은 책. 우리나라 역사·고사故事·시화詩話부터 일화逸話·전기傳記·가사歌詞·속언俗言 등을 수록한 잡록雜錄.
荀子	전국시대의 순자荀子가 지은 사상서. 성악설性惡說을 주창함.
詩經	중국에서 가장 오래된 시집으로 공자가 편編하였다 함.
與猶堂全書	정약용의 문집文集. ≪목민심서≫와 여러 논책과 실증적 이론 등이 수록됨.
燕巖集	조선 후기의 실학자實學者 박지원朴趾源의 시문집. 연암燕巖은 그의 호號.
洌上方言	조선 영조·정조 때 이덕무李德懋가 수집하여 한역漢譯한 속담집.
列子	중국 도가 경전의 하나. 전국 시대의 열자列子와 그 제자가 썼다고 하나, 현전하는 8편은 진晉나라 장담張湛이 쓴 것임.
禮記	오경五經의 하나. 예의와 이론과 실제를 설명해 놓은 책.
耳談續纂	조선 순조 20년 1820에 정약용丁若鏞이 엮은 속담집.
益齋亂藁	고려 후기의 학자 이제현의 시·서(序)·비명 등을 수록한 시문집. 익제益齋는 그의 호.
資治通鑑綱目	남송의 주자朱子가 사마광司馬光이 지은 《자치통감資治通鑑》을 재편찬한 역사서. 사실史實인 강綱, 경위인 목目'으로 구성된 강목체綱目體로 서술함.
周易	유학 오경五經의 하나. 만상萬象을 음양으로 설명하여 64괘를 만들었는데,이에 맞추어 철학·윤리·정치상의 해석을 덧붙임.

中庸/ 中庸章句	유교 경전인 사서四書의 하나로 본디 ≪예기禮記≫의 한 편이었음. ≪중용장구≫는 그 주석서.
芝峰集	조선 중기의 학자 이수광李睟光의 문집. 조선 후기 실학을 살필 수 있고, 당시 동남아시아 각국의 사정을 알아보는 데 중요한 자료가 됨.
千字文	양나라 주흥사周興嗣가 1,000자로 지은 책. 한문 입문서로 널리 쓰임.
推句	오언五言 명구名句를 가려 편찬編纂한 조선朝鮮 시대時代 초학 교재教材.
太平閑話滑稽傳	조선朝鮮 전기前期의 문신文臣인 서거정徐居正이 편찬編纂한 소화집笑話集. 주로 해학적諧謔的인 이야기를 담고 있음.
通鑑節要	송나라 휘종徽宗 때 강지江贄가 사마광司馬光이 지은 ≪자치통감自治通鑑≫의 방대한 내용을 간추려 엮은 역사서.
退溪先生言行錄	퇴계의 후손 이수연李守淵이 편찬한 퇴계 이황의 언행록.
鶴峯集	조선시대 학봉鶴峯 김성일金誠一의 시문을 수집하여 간행한 개인 문집. 임진왜란을 이해하는 데 중요한 자료가 됨.
韓非子	중국 춘추 시대 말기의 한비韓非가 지은 책. 법가法家 사상思想을 논함.
漢詩外傳	전한前漢의 경학자經學者 한영韓嬰이 지은 ≪시경詩經≫의 해설서解說書.
後漢書	중국 남북조 시대에, 송나라의 범엽范曄이 펴낸 후한後漢의 정사正史.

주요 인물

(가나다순)

- 공명의公明儀 : 춘추시대 노魯의 남무성南武城 사람. 자장子張의 문인.

- 공자孔子 : 춘추시대 노魯의 대사상가. 유가 사상의 창시자. 이름은 구丘. 자는 중니仲尼. 《시詩》·《서書》·《예禮》·《악樂》·《역易》·《춘추春秋》 등의 육경六經을 산술刪述하였다고 전함. 74세로 졸卒. 《논어論語》는 그의 담화와 제자들과의 문답을 기록한 책. 대성전은 공자의 사당.

대성전大成殿

- 김춘추金春秋 : 신라新羅 태종무열왕太宗武烈王의 성명.

- 노래자老萊子 : 춘추시대 초楚나라 은사隱士. 효성이 지극하고 어질어서 초왕이 초빙하였으나 나아가지 않음. 70세의 나이에도 색동옷을 입고 어린애 장난을 하면서 늙은 부모를 즐겁게 해 주었다고 전해짐.

- 맹자孟子 : 전국시대 노魯 추鄒 땅 사람. 이름은 가軻. 자는 자여子輿·자거子居·자거子車. 전국시대의 대표적인 사상가·정치가·교육자.

- 무정武丁 : 은殷 제20대 왕 고종高宗의 이름. 소을小乙의 아들. 부열傅說·감반甘盤 등을 등용하여 나라를 부흥시킴.

- 백락伯樂 : 춘추시대 진秦나라 목공穆公 때 사람. 성姓은 손孫. 이름은 양陽. 말〔馬〕의 상相을 잘 보았다.

- 공리孔鯉 : 공자의 아들. 자字는 백어伯魚. 소공昭公이 탄생을 축하하여 잉어를 하사하자 지은 이름. 50세로 공자보다 먼저 죽음.

- 백이伯夷 : 상商나라 말기 고죽군孤竹君의 맏아들. 성은 묵태墨胎. 이름은 원元. 자는 공신公信. 상나라가 멸망한 뒤 주나라의 곡식을 먹을 수 없다 하여 수양산首陽山에 들어가 고사리만 먹다가 죽음.

- 사마광司馬光 : 송宋 하현夏縣 사람. 지池의 둘째 아들. 자는 군실君實. 호는 제물자齊物子. 시호는 문정文正. 보원寶元 연간의 진사進士. 신종神宗 때 어사중승御史中丞으로서 왕안석王安石의 신법新法을 반대하다가 서경西京에 좌천되었고, 철종哲宗 초년에 재상이 되어 신법 중에서 백성에게 해로운 것들을 모조리 개정함. 태사 온국공太師溫國公에 추증追贈. 대표 저서는 《자치통감資治通鑑》.

사마광 상像 – 자치통감저資治通鑑著

• 사마천司馬遷 : 전한前漢 하양夏陽 사람. 담談의 아들. 자는 자장子長. 경제景帝 때 용문龍門에서 태어나 10세 때 벌써 고문古文을 읽음. 무제武帝 때 낭중郎中으로 벼슬길에 올라 태사령太史令을 지냄. 천한天漢 연간 이릉李陵이 흉노匈奴에게 항복하자, 천이 이릉의 충성을 극구 변호하다가 무제의 노여움을 사서 부형腐刑에 처하여짐. 이 일에 분격憤激한 나머지 20여 년의 세월을 애써서 마침내 《사기史記》 1백 30권을 지음.

• 숙제叔齊 : 상商나라 고죽孤竹의 왕자. 이름은 지智·치致. 자는 공달公達. 시호는 제齊. 고죽군孤竹君 묵태초墨台初의 아들. 형 백이伯夷와 임금 자리를 서로 양보, 주 무왕周武王의 상商나라 공벌을 반대하여 수양산首陽山에 들어가 고사리를 먹으며 지내다가 굶주려 죽음.

• 순舜 : 상고시대의 성군聖君. 성은 요姚, 또는 규嬀. 이름은 중화中華이며, 선대가 우虞에 나라를 세워 유우씨有虞氏라 함. 효성이 극진하였고, 사악四嶽의 추천으로 요堯에게 등용되어 섭정하다가 요가 죽은 뒤 제위帝位에 오름. 사흉四凶을 제거하고, 우禹를 등용하여 홍수를 다스리게 하고 후계자로 삼음. 남방을 순행巡行하다가 창오蒼梧에서 죽자 구의산九疑山에 장사지냄.

• 안회顔回 : 춘추시대 노魯나라 사람. 자는 자연子淵. 무유無繇의 아들. 공자孔子의 수제자. 가난한 생활 속에서 학문과 도道를 즐김. 젊은 나이에 죽자 공자가 통곡함. 후세에 복성復聖이라 일컬어지고, 안자顔子로 불림.

• 애공哀公 : 춘추시대 노魯나라 임금. 이름은 장蔣, 또는 장將. 시호는 애哀. 정공定公의 아들. 제후諸侯의 힘을 빌어 삼환三桓의 세력을 억제하려 하였으나, 도리어 삼환의 공격을 받고 위衛나라로 도망, 뒤에 국인國人의 도움으로 다시 노나라로 돌아옴.

• 염옹冉雍 : 춘추시대 노魯나라 사람. 자는 중궁仲弓. 공문십철孔門十哲의 한 사람. 덕행德行에 뛰어남.

• 온달溫達 : 고구려 평원왕平原王 때의 장군. 살림이 몹시 구차하여 항상 구걸로써 어머니를 봉양하였고, 남루한 옷차림으로 거리를 돌아다녔기 때문에 바보 온달로 불려짐. 뒤에 평강공주平岡公主를 아내로 맞아 들임. 북주北周의 무제武帝가 고구려에 쳐 들어오자, 고구려 군의 선봉에 서서 대승하여 대형大兄에 승진됨. 영양왕嬰陽王 즉위년(590)에 신라에게 빼앗긴 한북漢北을 되찾기 위해 출정하여, 아차산성阿且山城에서 싸우다가 전사함.

• 요堯 : 전설상의 임금인 요堯. 오제五帝의 한 사람. 곡嚳의 아들. 지摯를 이어 즉위함. 성姓은 이기伊耆. 처음에 도陶에, 뒤에는 당唐에 봉해졌고, 제帝가 되어서 도당씨陶唐氏라 함. 재위 백년 동안에 천하가 태평하고, 순舜에게 양위讓位함.

• 유선劉禪 : 삼국시대 촉한蜀漢의 후주後主. 소열제昭烈帝의 아들. 자는 공사公嗣. 어릴 때의 자는 아두阿斗. 선주先主의 뒤를 이어 즉위하고, 제갈양諸葛亮의 도움으로 나라가 잘 다스려졌으나 제갈양과 장완蔣琬·동윤董允 등이 죽자 환관의 전횡으로 나라가 쇠약해짐.

• 유하혜柳下惠 : 춘추시대 노魯나라의 대부大夫 전획展獲. 자는 계季·금禽. 시호는 혜惠. 사사士師가 되어 유하를 식읍食邑으로 받았으므로 유하혜라 부름. 전금展禽·유하계柳下季·유사사柳士師 등으로도 부르나 보통 유하혜라 함. 세 번이나 쫓겨났으나, 바른 도리로 섬기면 어디에 가든 쫓겨난다면서 조국을 떠나지 않음.

• 이윤伊尹 : 은殷나라의 어진 정승. 이름은 지摯. 처음에 신야莘野에서 농사를 지었고, 탕湯이 세 번 초빙招聘하여 출사出仕함. 그 뒤 탕이 천하를 차지하도록 도움. 탕이 그를 높혀서 아형阿衡이라고 부름. 탕이 죽은 뒤 그 손자 태갑太甲이 무

도하므로 동궁桐宮으로 쫓아냈다가, 3년 뒤에 태갑이 뉘우치자 박亳으로 돌아오게 함.

- 익益 : 백익伯益. 순舜임금 때 동이東夷 부락의 우두머리. 영성嬴姓 각 씨족의 조상. 우왕禹王을 도와 치수治水에 공이 있었고, 우가 그에게 양위하려 하자 기산箕山의 북쪽에 은거함.
- 임방林放 : 춘추시대 노魯나라 사람. 자는 자립子立·자구子丘. 공자孔子에게 예禮의 근본에 대하여 질문하여 칭찬을 받음.
- 자공子貢 : 중국 춘추시대 위衛나라 유학자. 공문십철의 한 사람, 언어言語에 뛰어남. 제齊나라가 노魯나라를 치려고 할 때, 공자의 허락을 받고 오吳나라와 월越나라를 설득하여 노나라를 구함.
- 자로子路 : 춘추시대 노魯나라 사람 중유仲由의 자. 공자孔子의 제자. 용맹하기로 유명함. 위衛나라에서 벼슬하던 중 내란이 일어났을 때 스스로 전사戰死를 택함.
- 자사子思 : 전국시대의 공자의 손자. 《중용中庸》의 저자라는 설이 있음.
- 장저長沮 : 춘추春秋 말기 초楚나라의 은자隱者들을 일컫는 말로, 《논어論語》 〈미자微子〉편에 장저長沮와 걸닉桀溺이 김을 매며 밭 갈고 있을 때 공자가 지나가다가 중유仲由〔자로子路〕를 시켜 나루터를 물어보게 하였다는 고사가 나옴.
- 제齊 경공景公 : 춘추시대 제齊의 임금. 영공靈公의 아들이자 장공莊公의 아우. 이름은 저구杵臼. 사치를 좋아하여 많은 원성怨聲을 들었으며, 노정공魯定公과 회합하고 빼앗은 노나라의 땅을 되돌려 줌. 안영晏嬰을 정승으로 두어 많은 가르침을 받음.
- 진항陳亢 : 춘추시대 진陳나라 사람. 자는 자원子元·자항子亢·자금子禽. 공자孔子의 제자. 제齊나라 대부大夫 자거子車의 아우. 공자의 아들인 백어伯魚에게 공자의 가르침에 대하여 물음.
- 조맹趙孟 : 춘추시대 진晉나라에서 대대로 권력을 잡았던 조돈趙盾 및 그의 후손인 무武·앙鞅·무휼無恤을 이르는 말.
- 주공周公 : 주周 문왕文王의 아들이자 무왕武王의 아우. 성姓은 희姬. 이름은 단旦. 시호는 원元·문文. 무왕을 도와 주紂를 토벌하고, 조카 성왕成王을 대리하여 정사政事를 맡아 무경武庚·관숙管叔·채숙蔡叔의 반란을 진압함. 제도制度·예악禮樂을 정하고 관혼상제의 의례儀禮를 제정하여 후대에 성현聖賢의 모범으로 꼽힘.

- 증자曾子 : 증삼曾參의 존칭. 춘추시대 노魯나라 사람. 점點의 아들. 자는 자여子輿. 이름은 삼參. 공자孔子의 제자. 대학大學을 기술하고 효경孝經을 지었으며, 자사子思에게 학문을 전함.
- 칠조개漆雕開 : 춘추시대 채蔡나라 사람. 일설에는, 노魯나라 사람. 자는 자약子若. 공자孔子의 제자. 상서尙書에 정통하였고, 벼슬에 나가기를 좋아하지 않음.
- 탕湯 : 상商나라를 세운 임금. 설契의 후예. 성은 자子. 이름은 이履. 일명 천을天乙. 하夏의 걸桀을 정벌하고 왕위에 올라 국호를 상商이라 하고

• 박亳 땅에 도읍함.

• 태공太公 : 주周 동해東海 사람. 본성本姓은 강씨姜氏. 자는 자아子牙. 선대先代가 여呂 땅에 봉해져 여상呂尙이라 함. 노년까지 낚시질을 하며 숨어 살았는데, 위수渭水로 사냥 나온 문왕文王을 만나 그의 스승이 됨. 뒤에 무왕武王을 보좌하여 천하를 평정한 공으로 제齊 땅을 봉지封地로 받음.

• 한소열漢昭烈 : 유비劉備의 시호. 삼국시대 촉한蜀漢의 소열제昭烈帝. 탁현涿縣 사람. 자는 현덕玄德. 시호는 소열昭烈. 중산정왕中山靖王 승勝의 후손. 영제靈帝 말 황건적黃巾賊을 쳐서 공을 세우고, 삼고초려三顧草廬로 제갈량諸葛亮을 얻어 천하 삼분三分의 계책을 세우고 한중漢中을 취하여 왕이 됨. 조비曹丕가 헌제獻帝를 폐하자 성도成都에서 즉위함. 도원결의桃園結義로 맺은 의형제 관우關羽가 전사하자 오吳를 침공, 백제성白帝城에 돌아와 죽음.

참고 문헌

독본 등 교재류

- Paul Rouzer, ≪A New Pratical Primer of Literary Chinese≫(Harvard East Asian MonoGraphy 276), Cambridge and London, 2007.
- 加藤徹, ≪白文攻略 漢文法ひとり学び≫, 白水社, 2013.
- 경성대학교 한문교재편찬위원회, ≪교양한문≫, 경성대학교 출판부, 1991.
- 김경수·김성룡, ≪어순으로 푸는 단계별 한문해석≫, 집문당, 2002.
- 성균한문학교실, ≪교양한문≫, 성균관대학교 출판부, 1990.
- 小川環樹 西田太一郎 著, ≪漢文入門≫(岩波全書 233), 1957.
- 元泳義, ≪蒙學漢文初階≫, 1908.
- 元泳義, ≪小學漢文讀本≫, 1908.
- 이화여자대학교 대학한문 편찬위원회, ≪대학한문≫, 이화여자대학교 출판부, 1999.
- 전남대학교 대학한문교재편집위원회, ≪대학한문≫, 전남대학교 출판부, 1990.
- 동양고전정보화연구소 고전교육연구실 편역, ≪사서독해첩경≫, 전통문화연구회, 2019.
- 박상수·이화춘·이지곤·원주용 편저, ≪한문독해첩경 문학편≫, 전통문화연구회, 2021.
- 박상수·이화춘·이지곤·원주용 편저, ≪한문독해첩경 사학편≫, 전통문화연구회, 2021.
- 박상수·이화춘·이지곤·원주용 편저, ≪한문독해첩경 철학편≫, 전통문화연구회, 2021.
- 동양고전정보화연구소 고전교육연구실 편역, ≪신편 사자소학·추구≫, 전통문화연구회, 2019.
- 동양고전정보화연구소 고전교육연구실 편역, ≪신편 계몽편·동몽선습≫, 전통문화연구회, 2019.
- 이지곤·원주용 편역, ≪신편 명심보감≫, 전통문화연구회, 2021.
- 함현찬 역주, ≪신편 격몽요결≫, 전통문화연구회, 2019.
- 이충구 역주, ≪신편 주해천자문≫, 전통문화연구회, 2020.
- 원주용 편역, ≪원문으로 읽는 고사성어≫, 전통문화연구회, 2019.
- 권경상 편역, ≪당음주해선≫, 전통문화연구회, 2019.
- 鄭翼, ≪漢文教授捷徑≫, 1929.
- 중앙대학교 교양한문 편집위원회, ≪교양한문≫, 중앙대학교 출판부, 1990.

사전, 문법 및 단행본

- Edwin G. Pulleyblank, ≪Outline of Classical Chinese Grammar≫(University of British Columbia), UBC Press, 2000.
- Georg von der Gabelentz, ≪Chinesische Grammatik≫, 1881.
- 강혜근 외, ≪漢字同義語辭典≫, 궁미디어, 2011.
- 郭锡良, ≪古代汉语≫, 商务印书馆, 1999.
- 郭锡良, ≪古代汉语语法讲稿≫, 语文出版社, 2010
- 김원중, ≪한문해석사전≫, 글항아리, 2013.
- 단국대학교 동양학연구소, ≪漢韓大辭典≫, 2008.
- 沈載東, ≪알기쉬운 한문해석법≫, 운주사, 1999.
- 양계초, ≪중국고전학입문≫, 형성사, 1995.
- 楊伯峻(1909-1990), ≪古漢語語法及其發展≫, 语文出版社, 1992.
- 呂叔湘(1904-1998), ≪中國文法要略≫, 商务印书馆, 1956.

• 吴鸿清, ≪古代汉语基础≫, 北京大学出版社, 2006.
• 王力, ≪中國文法學初探≫, 山西人民出版社, 2014.
• 王力, ≪漢語史稿≫, 中國圖書, 2013.
• 王力, ≪漢語語法史≫, 中華書局, 1989.
• 王力, ≪古代汉语≫1~4, 中华书局, 1999
• 이상진, ≪문화문고 한문문법≫, 전통문화연구회, 2014.
• 周法高, ≪中國古代語法≫, 中央研究院历史语言研究所, 1959.
• 최기천 저, ≪중국어번역법≫, 학고방, 2002.
• 崔完植·金榮九·李永朱 共著, ≪漢文讀解法≫, 明文堂, 2016.

학회지 및 논문

• 한국고전번역원, ≪民族文化≫.
• 한국어문교육연구회, ≪語文硏究≫.
• 한국한문교육학회, ≪한문교육연구≫.
• 한국한문학회, ≪한국한문학연구≫.
• 한국한자한문교육학회, ≪한자한문교육≫.
• 정우상, ≪漢文構造文法論考 : 之字를 中心으로≫, 延世大學校 教育大學院, 1969.
• 崔植, ≪漢文讀法의 韓國的 特殊性≫, 국제한국한자한문교육학회 학술대회, Vol.2011 No.1, 2011.
• 최지희, ≪論語와 孟子에 나타난 '以'의 쓰임 분석 : 漢文科 文法教育의 맥락에서≫, 성신여자대학교 대학원, 2013.

언해서

• ≪四書三經諺解≫(대학언해, 논어언해, 맹자언해, 중용언해)
• ≪小學諺解≫

번역 참고 총서 및 도서

• 「고전번역총서」(동문선, 지봉집 외), 한국고전번역원.
• 「교수용지도서」(사자소학, 추구계몽편, 명심보감 외), 전통문화연구회.
• 「기초한문교재」(사자소학, 추구계몽편, 명심보감 외), 전통문화연구회.
• 「동양고전역주총서」(13경주소, 당송팔대가문초, 한비자집해 외), 전통문화연구회.
• 「동양고전국역총서」(논어집주, 맹자집주, 주역집전, 소학집주, 고문진보후집 외), 전통문화연구회.

데이터베이스

• ≪동양고전종합DB≫ http://db.cyberseodang.or.kr
• ≪中國哲學書電子化計劃≫ http://ctext.org
• ≪한국고전종합DB≫ http://db.itkc.or.kr
• ≪한문독해첩경≫ https://jtlink.kr/VB

도판

• ≪萬苦際會圖像≫
• ≪晩笑堂竹莊畫傳≫
• ≪三才圖繪≫
• ≪和漢三才圖會≫
• 程光裕 徐聖謨 主編, ≪中國歷史地圖≫, 中國文化大學出版部, 1980.

'25 개정판

漢文 독해 기본 패턴 정가 20,000원

2018년 11월 30일 초판 발행
2023년 03월 31일 초판 6쇄
2024년 11월 20일 개정판 초판 인쇄
2024년 11월 30일 개정판 초판 발행

저 자 이상진 이화춘 이지곤 원주용
기 획 동양고전정보화연구소 고전교육연구실
윤문교정 동양고전번역연구소

발 행 인 김 현
발 행 처 (사)전통문화연구회
서울 종로구 삼봉로 81 두산위브파빌리온 1332호
전화 : (02)762-8401 전송 : (02)747-0083
홈페이지 : juntong.or.kr
등 록 1989. 7. 3. 제1-936호

총 판 한국출판협동조합(070-7119-1750)

I S B N 979-11-5794-295-4 (04700)
979-11-5794-196-4 (세트)

전통문화연구회 도서목록

범례 : 周易正義 1~4〔全15〕 - 전체 15책 계획, 현재 1~4책만 간행된 경우

新編 基礎漢文教材

新編 四字小學·推句	고전교육연구실 編譯	11,000원
新編 啓蒙篇·童蒙先習	고전교육연구실 編譯	11,000원
新編 明心寶鑑	李祉坤·元周用 譯註	15,000원
新編 擊蒙要訣	咸賢贊 譯註	12,000원
新編 註解千字文	李忠九 譯註	13,000원
新編 原文으로 읽는 故事成語	元周用 編譯	15,000원
新編 唐音註解選	權卿相 譯註	22,000원

漢文讀解捷徑시리즈

漢文독해 기본패턴	고전교육연구실 著	15,000원
四書독해첩경	고전교육연구실 著	20,000원
한문독해첩경 - 文學篇	朴相水·李和春 외 著	15,000원
한문독해첩경 - 史學篇	朴相水·李和春 외 著	15,000원
한문독해첩경 - 哲學篇	朴相水·李和春 외 著	15,000원

五書五經讀本

論語集註 上·下	鄭太鉉 譯註	合 50,000원
孟子集註 上·下	田炳秀·金東柱 譯註	合 60,000원
大學·中庸集註	李光虎·田炳秀 譯註	15,000원
小學集註 上·下	李忠九 外 譯註	合 50,000원
詩經集傳 上·中·下	朴小東 譯註	合 90,000원
書經集傳 上·中·下	金東柱 譯註	合 90,000원
周易傳義 元·亨·利·貞	崔英辰 外 譯註	合 120,000원
詳說 古文眞寶大全後集 上·下	李相夏 外 譯註	合 64,000원
春秋左氏傳 上·中·下	許鎬九 外 譯註	合 109,000원
禮記 上·中·下	成百曉 外 譯註	合 90,000원

東洋古典國譯叢書

大學·中庸集註 - 개정증보판	成百曉 譯註	10,000원
論語集註 - 개정증보판	成百曉 譯註	27,000원
孟子集註 - 개정증보판	成百曉 譯註	30,000원
詩經集傳 上·下	成百曉 譯註	合 70,000원
書經集傳 上·下	成百曉 譯註	合 70,000원
周易傳義 上·下	成百曉 譯註	合 80,000원
小學集註	成百曉 譯註	30,000원
古文眞寶 後集	成百曉 譯註	32,000원

東洋古典譯註叢書

〈經部〉

〔十三經注疏〕

周易正義 1~4	成百曉·申相厚 譯註	合 139,000원
尙書正義 1~7	金東柱 譯註	合 228,000원
毛詩正義 1~8〔全15〕	朴小東 外 譯註	合 259,000원
禮記正義 1~2, 中庸·大學	李光虎 外 譯註	合 77,000원
論語注疏 1~3	鄭太鉉·李聖敏 譯註	合 107,000원
孟子注疏 1~4〔全5〕	崔彩基·梁基正 譯註	合 119,000원
孝經注疏	鄭太鉉·姜珉廷 譯註	30,000원
周禮注疏 1~4〔全15〕	金容天·朴禮慶 譯註	合 122,000원
春秋左傳正義 1~2〔全18〕	許鎬九 外 譯註	合 59,000원
春秋公羊傳注疏 1〔全7〕	許鎬九 外 譯註	37,000원

春秋左氏傳 1~8	鄭太鉉 譯註	合 244,000원
禮記集說大全 1~5〔全10〕	辛承云 外 譯註	合 160,000원
東萊博議 1~5	鄭太鉉·金炳愛 譯註	合 153,000원
韓詩外傳 1~2	許敬震 外 譯註	合 62,000원
說文解字注 1~4〔全20〕	李忠九 外 譯註	合 141,000원

〈史部〉

思政殿訓義 資治通鑑綱目 1~22〔全39〕	辛承云 外 譯註	合 671,000원
通鑑節要 1~9	成百曉 譯註	合 275,000원
唐陸宣公奏議 1~2	沈慶昊·金愚政 譯註	合 80,000원
貞觀政要集論 1~4	李忠九 外 譯註	合 102,000원
列女傳補注 1~2	崔秉準·孔勤植 譯註	合 68,000원
歷代君鑑 1~4	洪起殷·全百燦 譯註	合 135,000원

〈子部〉

孔子家語 1~2	許敬震 外 譯註	合 71,000원
管子 1~3〔全4〕	李錫明·金帝蘭 譯註	合 91,000원
近思錄集解 1~3	成百曉 譯註	合 96,000원
老子道德經注	金是天 譯註	30,000원
大學衍義 1~5〔全7〕	辛承云 外 譯註	合 144,000원
墨子閒詁 1~6〔全7〕	李相夏 外 譯註	合 212,000원
說苑 1~2	許鎬九 譯註	合 50,000원
世說新語補 1~5	金鎭玉 外 譯註	合 171,000원
荀子集解 1~7	宋基采 譯註	合 224,000원
心經附註	成百曉 譯註	35,000원
顔氏家訓 1~2	鄭在書·盧暻熙 譯註	合 47,000원
揚子法言 1〔全2〕	朴勝珠 譯註	24,000원

列子鬳齋口義 崔秉準·孔勤植·權憲俊 共譯 34,000원
二程全書 1~6〔全10〕 崔錫起·姜導顯 譯註 合 205,000원
莊子 1~4 安炳周·田好根 共譯 合 113,000원
政經·牧民心鑑 洪起殷·全百燦 譯註 27,000원
韓非子集解 1~5 許鎬九 外 譯註 合 174,000원

〔武經七書直解〕

孫武子直解·吳子直解 成百曉·李蘭洙 譯註 35,000원
六韜直解·三略直解 成百曉·李鍾德 譯註 26,000원
尉繚子直解·李衛公問對直解 成百曉·李蘭洙 譯註 26,000원
司馬法直解 成百曉·李蘭洙 譯註 26,000원

〈集部〉

古文眞寶 前集 成百曉 譯註 30,000원
唐詩三百首 1~3 宋載卲 外 譯註 各 25,000원~36,000원

唐宋八大家文抄

韓愈 1~3 鄭太鉉 譯註 合 78,000원
柳宗元 1~2 宋基采 譯註 合 44,000원
歐陽脩 1~7 李相夏 譯註 合 203,000원
蘇洵 李章佑 外 譯註 25,000원
蘇軾 1~5 成百曉 譯註 合 110,000원
蘇轍 1~3 金東柱 譯註 合 64,000원
王安石 1~2 申用浩·許鎬九 共譯 合 45,000원
曾鞏 宋基采 譯註 25,000원

明淸八大家文鈔

歸有光·方苞 李相夏 外 譯註 35,000원
劉大櫆·姚鼐 李相夏 外 譯註 35,000원
梅曾亮·曾國藩 李相夏 外 譯註 38,000원

東洋古典新譯

당시선 송재소·최경렬·김영죽 편역 22,000원
손자병법 성백효 역주 14,000원
장자 안병주·전호근·김형석 역주 13,000원
고문진보 후집 신용호 번역 28,000원
노자도덕경 김시천 역주 15,000원
고문진보 전집 上·下 신용호 번역 合 44,000원
신식 비문척독 박상수 번역 25,000원

동양문화총서

동양사상 해설과 원전 정규훈 外 저 22,000원
화합의 길 《중용》 읽기 금장태 저 20,000원
호설과 시장 신용호 저 20,000원
어느 노학자의 젊은 시절 심재기 저 22,000원

문화문고

경전으로 본 세계종교 그리스도교 이정배 편저 10,000원
〃 도교 이강수 편역 10,000원
〃 천도교 윤석산 외 편저 10,000원
〃 힌두교 길희성 편역 10,000원
〃 유교 이기동 편저 10,000원
〃 불교 김용표 편저 10,000원
〃 이슬람 김영경 편역 10,000원
논어·대학·중용 조수익·박승주 공역 10,000원
맹자 조수익·박승주 공역 10,000원
소학 박승주·조수익 공역 10,000원
십구사략 1~2 정광호 저 合 24,000원
무경칠서 손자병법·오자병법 성백효 역 10,000원
〃 육도·삼략 성백효 역 10,000원
〃 사마법·울료자·이위공문대 성백효 역 10,000원
당시선 송재소·최경렬·김영죽 편역 10,000원
한문문법 이상진 저 10,000원
한자한문전통교재 조수익·이성민 공역 10,000원
士小節 선비 집안의 작은 예절 이동희 편역 12,000원
儒學이란 무엇인가 이동희 저 10,000원
동아시아의 유교와 전통문화 이동희 저 13,000원
현대인, 동양고전에서 길을 찾다 이동희 저 10,000원
100자에 담긴 한자문화 이야기 김경수 저 12,000원
우리 설화 1~2 김동주 편역 合 20,000원
대한민국 국무총리 이재원 저 10,000원
백운거사 이규보의 문학인생 신용호 저 14,000원

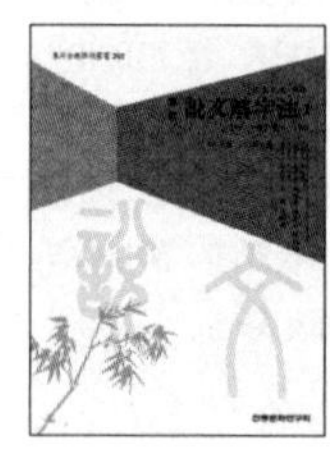